60 MAQUILLAGES pour les fêtes

Erick Aveline et Joyce Coleman

Dessain et Tolra

Joyce Coleman, de mère canadienne et de père lyonnais, est passionnée par la nature, la peinture animalière et le portrait. Après des études d'ethnologie, elle se forme au maquillage, à Paris, en 1989. Joyce Coleman utilise le maquillage artistique comme un outil d'investigation, un moyen de communication et d'accès au merveilleux notamment lors d'ateliers qu'elle organise à la maison d'arrêt de Fleury-Mérogis.
Désormais installée dans la région toulousaine, elle a créé une nouvelle compagnie de maquillage « Les Drôles de Fées ».
e-mail : joyce.col@voilà.fr • Tél.: 06 62 82 65 53

En hommage à ma mère, Ninon Coleman, pour sa fibre artistique, et à ma sœur, Lynn Chargueraud, qui m'a initiée à cet art et à Erwan Simon, maquilleur passionné d'effets spéciaux. À mes compagnes maquilleuses : Hélène Régnier, Mona Bausson, Cathy Rybakowsky-Murcia, Muriel Dawo, Isa Marcillaud, Amélie Norsikian ; à mon fils Kenan, pour sa participation enjouée ; à Osiana Zegers et à Léa Zanotti, deux drôles de petites fées du maquillage.

Erick Aveline a étudié les arts plastiques à l'école Boulle, puis a complété sa formation en 1986 à l'école de maquillage artistique Christian Chauveau, où il enseigne par la suite. Il a travaillé dans tous les domaines de la décoration corporelle, du maquillage naturel au *body painting*, du tatouage éphémère aux techniques d'effets spéciaux. En 1991, il publie un premier livre *Make up professional* suivi d'une série de neuf cassettes vidéo sur les techniques de maquillage, sortie en République de Chine.
Erick Aveline, maquillage artistique - formation
2, rue des Côtes 78600 Maisons-Laffitte.
e-mail : erick.aveline@free.fr • Tél.: 06 86 40 41 59

Erick Aveline et Joyce Coleman ont déjà publié ensemble *Tatouages éphémères* (Dessain et Tolra, 2000)

Remerciements :
Les auteurs remercient toutes celles et ceux qui ont participé à ce livre et en particulier Patrick Maury pour son aide précieuse, et Stéphane Goupil, pour ses conseils judicieux.
Cet ouvrage doit beaucoup aux modèles qui ont joué le jeu avec enthousiasme :
Adèle de Larminat (l'oiseau), Eva Delangle (la chatte tigrée), Théo Beugnet (le lion), Anouk Gosselin (le chaton), Charlotte Favereau (la citrouille), Chloé Zipfel (un dalmatien), Léo Iachkar (le tigre), Maeva Guillay (la panthère rose), Jérémy Rakotoharime (le léopard), Thibault Libet (le nounours), Marine Laborde (la girafe, le papillon, Colombine, la fée), Cédric Tabaries de Grandsaignes (le singe, le clown blanc, le monstre), Marie Aveline (la souris, le chien, la coccinelle, le lapin), Fabrice Sechet (la grenouille, Frankenstein, le samouraï), Élodie Sechet (la renarde, la bouffonne), Marie Delpit (la princesse), Léa Antona (la fée), Mathilde Gilles-Lagardère (la lune), Monique Ebengo (la reine du printemps), Romain Guéry (Arlequin), Damien Frerot (le robot), Margot Chantrel (loup de carnaval), Anaïs Dubois (la Chinoise, l'Indienne), Yannick Cochard (le diable, le clown d'Halloween), Émilie Janin (la sorcière), Léna Scharf-Rouault de Coligny (Vampella), Vladislav Tempez (le dinosaure), Florent Maury (Zorro, Gothique, le pirate), Clément Tabaries de Grandsaignes (le sorcier, l'araignée), Mylène Daudier (la reine des ténèbres), Léo Necili (le mort vivant), Bastien Chevalier (le vampire), Émilie Chalmel (la diablesse, Arachnida), Quentin Palmas (le loup-garou, l'Indien), Kenan Chargueraud (le loup, le serpent, le zombie, la tête de mort, le dragon, le soleil, Chauve-souris, Pierrot, l'auguste).
Joyce Coleman remercie particulièrement la famille Duriau de Bruxelles et la marque « Fardel ».

Édition : **Corinne Booth, Sylvie Hano** ; photos : **Erick Aveline** et **Joyce Coleman**; conception graphique et réalisation : **Lieve Louwagie** ; lecture, corrections : **Edith Zha** ; coordination technique : **Anne Raynaud** ; couverture: **Sarbacane - Véronique Laporte.**

Photogravure : Nord Compo
© Dessain et Tolra / Larousse. 2004, pour la présente édition
© Dessain et Tolra / VUEF 2002, pour la première édition
Dépôt légal : septembre 2002

ISBN : 978-2-04-720143-5

Introduction

Le maquillage est un rite vieux de milliers d'années. Qu'il réponde au besoin
d'identification ou de différenciation, qu'il soit protection symbolique ou parure,
il est toujours synonyme de communication.
À l'origine, il permettait, comme le masque, d'établir un lien entre le monde
des esprits et celui des vivants. Si cette fonction divine a, dans l'ensemble, disparu
le maquillage permet cependant de donner une expression à l'invisible,
à l'indicible, à l'altérité. Parfois il dérange, il inquiète, transgressant les images figées
de nos identités, mais il peut aussi aider à défier la peur ; il délie, il libère.
Comme le masque, le maquillage recouvre le visage, mais ici l'illusion est totale
puisqu'il en épouse les traits et se nourrit du regard. Paradoxe que cette seconde
peau qui cache et dévoile !
Au-delà de son aspect ludique, le maquillage conserve une fonction magique :
c'est un passeur de mondes. C'est pourquoi il séduit tant les enfants à qui il donne
l'occasion de jouer de nouveaux rôles. En ouvrant l'accès au monde onirique,
il restitue le merveilleux. Le maquillage constitue un atout majeur de la fête dont
il est, à nos yeux, indissociable, lui apportant un souffle de liberté, une goutte
de dérision et un grain de folie...

À travers cet ouvrage, nous vous donnons des clefs pour vous initier ou pour parfaire
votre connaissance de cet art de l'illusion, et faire éclore sur les visages les images
de vos rêves.
Nous vous proposons les fruits d'un vaste cheminement, à la rencontre d'animaux,
de monstres, de personnages liés à la comédie humaine, hors des frontières
et du temps. Au-delà de l'allégorie, ces figures sont emblématiques de sentiments,
d'émotions et de valeurs dont elles permettent l'expression par le jeu de la métamorphose.
Le maquillage artistique est un art complexe qui, s'il ne se prend pas au sérieux, nécessite
toutefois un travail patient et le sens aigu de l'observation. D'où l'intérêt d'en connaître
les diverses règles et techniques. Elles sont abordées ici par le biais de l'étude
des maquillages proposés. Néanmoins, ces modèles ne sont pas à prendre comme
des moules dont on tirerait un nombre illimité de copies, au risque de ternir le blason
de cet art magicien.
Chaque maquillage est unique. Il est le fruit d'une rencontre, celle de l'artiste à l'écoute
d'un visage qui s'offre à découvert.

Sommaire

Le matériel 6

Les produits 7

Les parties du visage 7

Les animaux

La chatte tigrée 8

Le petit lion 10

Le chaton 12

Le léopard 14

Le tigre 16

La panthère 18

Le chien 20

Un dalmatien 22

La renarde 24

Le loup 26

Le nounours 28

Le lapin 30

Le papillon 32

La coccinelle 34

L'oiseau 36

La grenouille 38

La souris 40

Le serpent 42

Le singe 44

La girafe 46

Les héros

Le clown blanc 48

L'auguste 50

Pierrot 52

Colombine 54

La bouffonne 56

Arlequin 58

Loup de carnaval 60

Le samouraï 62

La Chinoise 64

La princesse 66

La fée 68

La reine du printemps 70

La lune 72

Le soleil 74

Zorro 76

L'Indien 78

L'Indienne 80

Le pirate 82

Le robot 84

Chauve-souris 86

L'araignée 88

Halloween

Le vampire 90

La citrouille 92

La sorcière 94

Le loup-garou 96

La diablesse 98

Le diable 100

La tête de mort 102

Le mort vivant 104

Le zombie 106

Le monstre 108

Le clown d'Halloween 110

La reine des ténèbres 112

Vampella 114

Le sorcier 116

Frankenstein 118

Arachnida 120

Gothique 122

Le dinosaure 124

Le dragon 126

Le matériel

Les articles nécessaires à la réalisation des maquillages proposés ci-après se trouvent dans les boutiques de maquillage professionnel et dans certains magasins spécialisés dans les beaux-arts, les activités manuelles et de loisirs.

Les pinceaux « classiques »

Les plus employés sont les pinceaux larges et plats (de 10 à 14 mm de large) et les pinceaux moyens ou à lèvres (de 4 à 8 mm de large), également appelés «usé bombé» ou «estompeur». Choisissez-les de qualité et de préférence en poils de martre. Vous les utiliserez aussi bien pour l'application de fard crème que pour celle de fard fluide. Par leur taille et leur forme arrondie, ils servent aussi bien à réaliser des traits, des aplats, que des estompes. Il est préférable d'en posséder plusieurs, afin d'éviter d'avoir à les laver après chaque application.

Les pinceaux ronds et fins en poils synthétiques

Ils ont la souplesse et l'élasticité requises pour le dessin des traits fins et longs exécutés avec des fards fluides. Il est utile de posséder au moins deux tailles de ce type de pinceau : un long et fin pour les traits fins (poils) et un autre un peu plus épais pour dessiner les sourcils, par exemple.

Le pinceau à poudre

Destiné à appliquer de la poudre très fine, il doit allier une grande souplesse à une certaine tonicité des poils.

Conseils

La qualité des pinceaux utilisés est essentielle pour le maquillage. Évitez absolument de les laisser tremper dans un verre d'eau. Leur longévité dépend du soin apporté à leur entretien.

Les éponges

Les éponges rondes en mousse sont utilisées pour appliquer un fard sur la peau et réaliser une surface homogène ou pour estomper un tracé, dégrader une couleur.
L'éponge à barbe, comme son nom l'indique, sert à créer un effet «mal rasé».

Autre matériel

Des pinces à cheveux ou un bandeau, du gel, une brosse, des serviettes en papier, des Cotons-Tiges, un verre d'eau, un miroir sont indispensables.

Les produits

LES FARDS

Il existe une grande diversité de fards destinés au maquillage artistique, du meilleur au pire !
Outre les fards crèmes professionnels utilisés dans cet ouvrage, les seuls qui se distinguent par leur
qualité sont les fards à l'eau. À la différence des fards crème, ils doivent être fluidifiés avec de l'eau
pour leur application. Les autres médias ne correspondent pas – quand ils ne nuisent pas – au
maquillage tel qu'il est pratiqué ici.

Les fards crèmes

Prêts à l'emploi, sans adjonction d'eau, ils sont hypoallergéniques. Ils s'appliquent facilement,
sans base, et sèchent rapidement. Ils sont solubles à l'eau. La gamme des couleurs, d'un bel éclat,
offre une vaste palette de nuances. Ils existent en pots ou en tubes à pompe qui délivrent le fard
à la pression du doigt. Les tubes offrent une garantie supplémentaire d'hygiène.

Les fards fluides

Prêts à l'emploi, ils sont particulièrement appropriés pour les tracés rapides et les motifs décoratifs.
Ils ne se prêtent pas à l'estompe. Leur éclat est un atout majeur pour les traits de finition. Leur
gamme de couleurs, composée de couleurs mates, irisées et métallisées, est utilisée en complément
des fards crèmes.

LES POUDRES ET LES PAILLETTES

La *star powder* ou poudre d'étoile

C'est une poudre ultra fine, au touché soyeux, qui donne de la brillance et de l'éclat au teint.
Elle se décline en une vaste gamme de nuances colorées. Elle est utilisée dans cet ouvrage
pour le teint de la fée et de la diablesse.

Les paillettes

Il existe toute une gamme de paillettes de couleurs, ultra fines, en polyester, qui ont l'avantage
de ne pas irriter les yeux et la peau. Elles finalisent de nombreux maquillages et y apportent
une note magique.

Les parties du visage

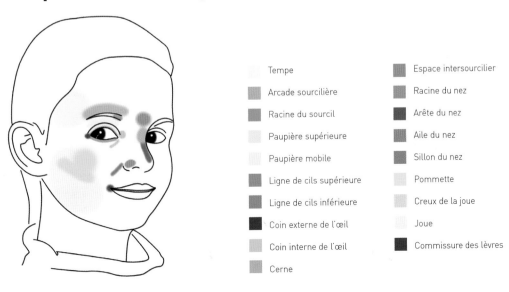

Tempe		Espace intersourcilier
Arcade sourcilière		Racine du nez
Racine du sourcil		Arête du nez
Paupière supérieure		Aile du nez
Paupière mobile		Sillon du nez
Ligne de cils supérieure		Pommette
Ligne de cils inférieure		Creux de la joue
Coin externe de l'œil		Joue
Coin interne de l'œil		Commissure des lèvres
Cerne		

La chatte tigrée

Vous pouvez ajouter des paillettes à ce maquillage. Répartissez-les sur les parties du visage à mettre en valeur ou de manière diffuse sur l'ensemble du visage.

DIFFICULTÉ

Conférez à cette métamorphose la grâce spécifique des félins en soignant les formes arrondies du graphisme.

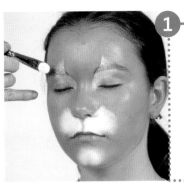

1 → Avec une éponge, appliquez du fard ocre jaune sur le visage, sauf sur les zones à colorer en blanc. Étalez bien la couleur jusqu'à la racine des cheveux, voire sur les oreilles. Marquez les babines et le menton en blanc à l'aide d'une éponge. Puis avec un pinceau large, posez du fard blanc sur les paupières, du coin interne de l'œil vers l'extérieur.

En utilisant un pinceau large, indiquez en noir la ligne **2** de séparation des babines, des ailes du nez aux coins de la lèvre supérieure. Exécutez ensuite les rayures du pourtour avec du fard brun, en allant de l'extérieur du visage vers le centre. Toujours avec un pinceau large, tracez en noir les lignes des arcades sourcilières, puis réalisez le dessin du contour des yeux.

3 → Avec un pinceau propre et sec, estompez en partie les rayures sur la couleur de fond ainsi que le dessin des arcades sourcilières. Puis, avec le même pinceau peu chargé en fard, balayez du brun en bordure des babines, du menton et de la lèvre inférieure, de manière à la rétrécir.

ASTUCE

Pour dessiner d'un seul geste les rayures du pourtour du visage, posez le bout du pinceau sur la peau et faites-le pivoter sur son arête tout en traçant.

4
↓ Appliquez du fard blanc au pinceau sous les yeux. Balayez aussi un peu de blanc sur le front et les pommettes pour en accentuer le relief. Colorez le bout du nez et la lèvre inférieure en rose. Enfin, avec un pinceau fin, tracez au fluide noir les points des babines et les moustaches que vous rehausserez de blanc.

Les couleurs utilisées

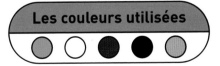

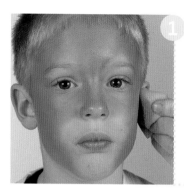

1 → Avec une éponge, appliquez du fard ocre jaune sur tout le visage, excepté sur la partie interne des paupières et sur le pourtour de la bouche. Étalez la couleur jusqu'à la racine des cheveux, de manière à les intégrer au maquillage.

Toujours avec une éponge, appliquez du fard blanc sur la partie interne des paupières et au-dessus, à partir de la racine des sourcils, à la verticale des ailes du nez. Marquez également les babines et le menton en blanc. Si besoin, estompez les limites entre les deux couleurs avec une éponge propre. ← **2**

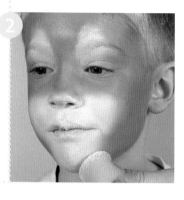

3 → Avec un pinceau large, colorez la base du nez en brun. Tracez les bords du museau avec l'arête du pinceau, des ailes du nez aux coins internes des yeux. Poursuivez par le dessin des babines, sur la lèvre supérieure, et terminez par des traits fins au-dessus des yeux et autour des babines.

ASTUCE

Choisissez bien la couleur du museau afin de ne pas trop accentuer cette partie du visage au profit du regard, doté d'un ton plus foncé.

4 Apposez du fard noir dans les coins internes des yeux, puis étalez la couleur, en oblique, sur les paupières, à l'aide d'un pinceau large. Prolongez le bout du nez d'une petite pastille noire. Avec un pinceau fin, tracez au fluide noir les petits points et les poils noirs sur les babines.

Les couleurs utilisées

Proposez donc ce maquillage
à un petit garçon impatient.
La simplicité du graphisme
permet de le réaliser
rapidement.

Le petit lion

DIFFICULTÉ

Tout en adaptant le graphisme au visage de votre modèle,
veillez à garder des proportions similaires à celles proposées,
en particulier pour le museau et les babines.

Le chaton

Ce maquillage simple et rapide à réaliser est bien adapté aux jeunes enfants impatients. Remarquez que le dessous de l'œil n'est pas souligné de noir, afin de ne pas trop solliciter les yeux, zone très sensible.

DIFFICULTÉ

L'expression de douceur qui émane de ce maquillage est créée en partie par un graphisme tout en rondeur par ses formes et ses lignes.

1 → À l'aide d'une éponge, appliquez sur le visage une base ocre jaune, sauf sur les zones à peindre en blanc. Étirez la couleur jusqu'à la racine des cheveux et lissez-la sur le pourtour du visage pour bien estomper la démarcation.

Les couleurs utilisées

Appliquez du blanc, avec un pinceau large, sur les paupières. Posez le bout du pinceau dans le coin interne de l'œil, puis étirez la couleur vers l'extérieur. Procédez de la même façon pour les babines. ← **2**

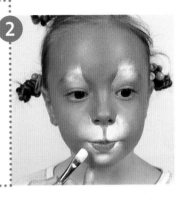

ASTUCE

La fusion entre la couleur de fond et le blanc se réalise facilement en réduisant peu à peu la pression du pinceau sur la peau à ces endroits.

3 → Avec un pinceau large, tracez des rayures marron sur le pourtour du visage. Allez de l'extérieur du visage vers l'intérieur. Commencez par les rayures du front. Ajoutez une touche de brun sur les bords externes des paupières.

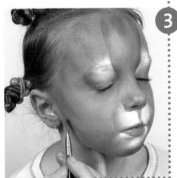

4 ↓ Colorez le bout du nez en noir. Tracez la ligne de séparation des babines et terminez-la par une petite courbe sur la lèvre. Avec un pinceau fin et fluide noir, dessinez les points et les poils des babines, puis rehaussez-les d'une touche de blanc. Enfin, colorez en rouge la lèvre inférieure. Marquez au pinceau le bord supérieur des yeux d'un trait noir qui remonte sur la paupière.

Le léopard

Ce maquillage est particulièrement bien adapté aux visages dont l'arête du nez est faiblement marquée, notamment aux visages de type asiatique.

DIFFICULTÉ

Pour obtenir l'aspect bombé des babines, veillez à bien estomper les masses blanches sur le fond ocre.

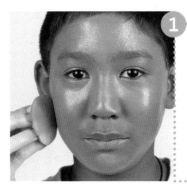

1 → Avec une éponge, colorez en ocre jaune tout le visage, sauf la partie réservée aux babines, au-dessus de la lèvre supérieure. Pour gagner en réalisme, estompez le fard sur le pourtour du visage. Prolongez la couleur jusqu'aux oreilles si elles sont apparentes.

Les couleurs utilisées

Avec un pinceau large, appliquez du fard ← **2** blanc cassé sur les paupières, en balayant la couleur du coin interne des yeux vers le haut des paupières. Procédez de la même façon pour réaliser le dessin des babines ; allez du centre du visage vers l'extérieur. Balayez la couleur sur le menton pour souligner le volume.

ASTUCE

Pour dessiner une tache, posez le bout arrondi d'un pinceau sur la peau. Vous obtenez ainsi un demi-cercle. Recommencez l'opération pour terminer le cercle.

3 → Colorez le bout du nez en noir et indiquez la ligne de séparation des babines. Puis avec un pinceau fin, placez sur les babines des points au fluide noir en respectant un tracé en courbe. Avec un pinceau large, dessinez en noir le contour en amande des yeux. À la racine des sourcils, tracez des lignes verticales que vous estomperez d'un côté. Tracez les courbes, aux coins des yeux, avec l'arête du pinceau.

4

↓ Utilisez le plat d'un pinceau pour réaliser, sur le front et les joues, les taches noires du pelage. Leur taille est plus grande sur le pourtour du visage que vers le centre. Colorez la lèvre inférieure en noir et prolongez son dessin en suivant la courbe des babines. Avec un pinceau fin, tracez les poils avec du fluide blanc.

1 → Posez du blanc avec un pinceau large sur la partie interne des paupières, puis étalez la couleur sur le front. Avec une éponge, appliquez du fard blanc autour de la bouche pour marquer les babines et recouvrez-en le bas du visage jusqu'à la limite du creux des joues. Enfin, avec un pinceau, effilez les babines sur les joues.

Avec une éponge, colorez le reste du visage en orange. Tracez les contours nets avec un pinceau ou utilisez le bord arrondi de l'éponge. Tapotez doucement l'éponge sur les joues pour mêler finement le blanc et l'orange et obtenir une teinte dégradée. ← **2**

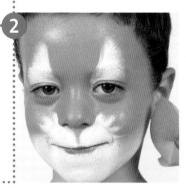

3 → Avec un pinceau large, dessinez les rayures du tigre en noir. Commencez par les lignes du milieu du front, continuez par le contour des yeux et les paupières, puis le haut des joues, enfin terminez par les babines.

Avec un pinceau fin, tracez les poils des babines au fluide blanc. Faites-les d'un seul jet de pinceau, sans hésitation. Avec un pinceau moyen, colorez avec un ton pouvant aller du rouge au brun la lèvre inférieure, que vous aurez diminuée auparavant. ← **4**

ASTUCE

La zone des paupières est sensible et mobile, aussi évitez de la surcharger de matière. Ici, seul le noir est utilisé.

Les couleurs utilisées

Le tigre

Attention, petit tigre va sortir ses griffes et montrer ses crocs cachés derrières des babines au dessin très simple !

DIFFICULTÉ

Pour réaliser les lignes noires sinueuses, posez le bout du pinceau à plat sur la peau puis, tout en le faisant glisser sur le visage, faites-le pivoter sur la tranche, pour finir par un trait fin.

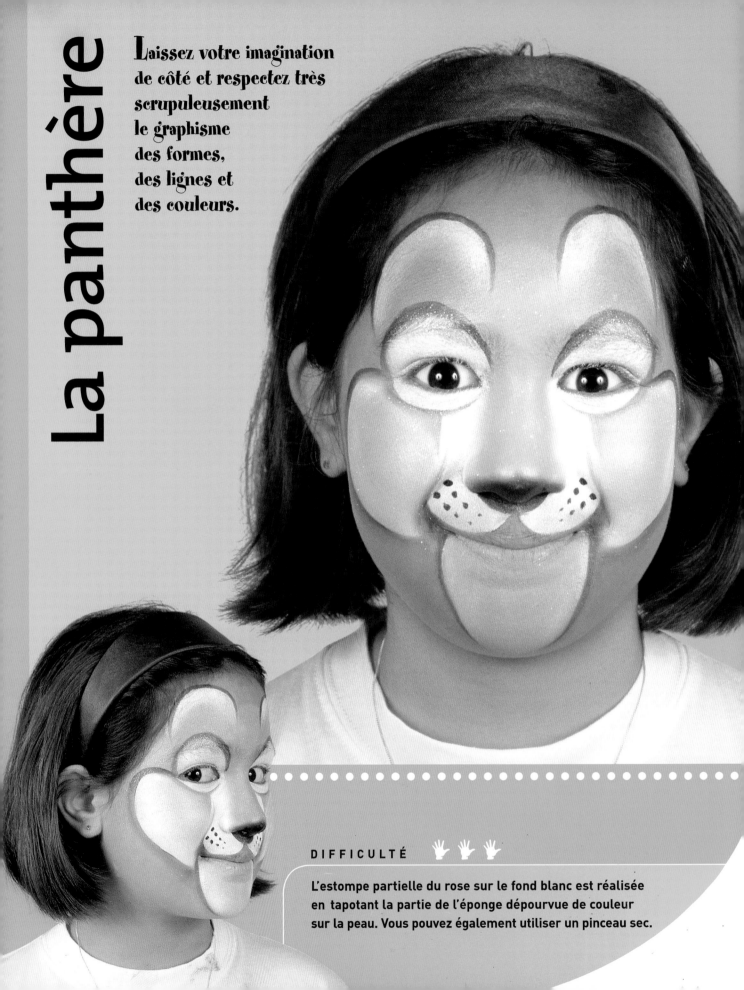

La panthère

Laissez votre imagination de côté et respectez très scrupuleusement le graphisme des formes, des lignes et des couleurs.

DIFFICULTÉ

L'estompe partielle du rose sur le fond blanc est réalisée en tapotant la partie de l'éponge dépourvue de couleur sur la peau. Vous pouvez également utiliser un pinceau sec.

1 → Avec une éponge, appliquez du fard blanc sur le visage. À l'aide du bord de l'éponge, marquez les contours. Pour réaliser le dessin des oreilles, utilisez le bord arrondi de l'éponge ou un pinceau large.

Toujours avec une éponge, appliquez du fard rose ← 2 autour des zones blanches. Marquez les contours avec le bord de l'éponge. Colorez ensuite les joues, la lèvre inférieure et le menton en tapotant l'éponge sur la peau.

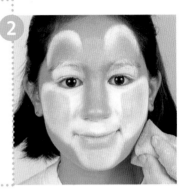

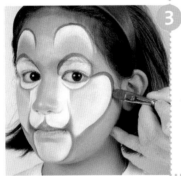

3 → Avec l'arête d'un pinceau, tracez en brun les lignes de contour des différents volumes. Commencez par les oreilles, continuez par les babines et le menton et terminez par les yeux et les joues. Avec un pinceau sec, estompez partiellement les lignes sous les yeux et autour des babines.

ASTUCE

Afin d'obtenir une bonne symétrie, placez alternativement chaque volume d'un côté du visage puis de l'autre ; faites de même lorsque vous délimitez ces mêmes volumes en brun.

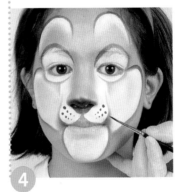

4

↓ Avec un pinceau large, marquez en noir l'arrondi de la truffe, sous le nez, et colorez le bout du nez. Avec un pinceau fin, faites au fluide noir des points de tailles variables en formant deux arcs de cercle sur chaque babine.

Les couleurs utilisées

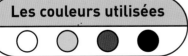

Le chien

La simplicité
du graphisme
et la douceur
des traits destinent
ce maquillage plutôt
à un jeune enfant.

DIFFICULTÉ

La couleur doit véritablement se fondre avec la peau.
Pour obtenir ce résultat, il suffit de mettre peu de fard
sur l'éponge et de l'appliquer avec méthode.

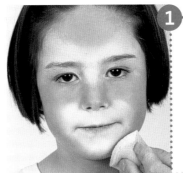

1 → Avec une éponge, appliquez du fard blanc au niveau des yeux, en forme de bandeau légèrement arrondi, sur toute la largeur du visage ; cependant, ne colorez pas les paupières mobiles. Indiquez le volume blanc des babines, autour de la bouche.

Les couleurs utilisées

Avec une éponge, colorez le reste du visage ← **2** avec du fard ocre jaune. Mesurez la pression de l'éponge sur la peau de façon à obtenir un teint homogène. Étalez la couleur jusqu'à la racine des cheveux, puis estompez-la graduellement sur le bas du visage.

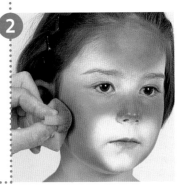

ASTUCE

Afin de réaliser ce maquillage en peu de temps, vous pouvez vous exercer à dessiner les poils sur votre avant-bras avant de les tracer sur le visage du modèle.

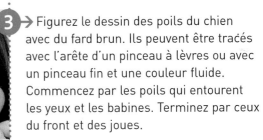

3 → Figurez le dessin des poils du chien avec du fard brun. Ils peuvent être tracés avec l'arête d'un pinceau à lèvres ou avec un pinceau fin et une couleur fluide. Commencez par les poils qui entourent les yeux et les babines. Terminez par ceux du front et des joues.

4 ↓ Avec un pinceau large, marquez la petite truffe noire, arrondie, sur le bout du nez. Appliquez du fard noir sur les paupières mobiles et estompez la couleur sur la partie fixe des paupières en esquissant une forme arrondie. Avec un pinceau fin, dessinez une petite langue rouge sur la lèvre inférieure.

Avec une éponge,  colorez tout le visage, sauf les paupières mobiles, avec du fard blanc. Tapotez l'éponge sur la peau, régulièrement, en progressant du haut du visage vers le bas.

1

Un graphisme simple et épuré permet de réaliser ce maquillage rapidement. Les plus jeunes n'auront pas le temps de manifester leur impatience !

2 → Tracez avec un pinceau large des lignes marron partant du coin interne de chaque œil et se terminant dans l'axe des extrémités des lèvres. Balayez le fard sur les paupières en créant un dégradé de marron. Sur les joues, estompez les tracés vers l'intérieur du visage.

Dessinez au pinceau une truffe  arrondie, délimitée par les ailes du nez. Répartissez des taches noires de différentes tailles sur le visage. Utilisez le bout arrondi d'un pinceau enduit de fard noir.

3

ASTUCE

Afin d'obtenir des taches vraiment bien noires, posez le fard sur la peau et ne revenez pas dessus. Vous risqueriez de mélanger le noir au fond blanc.

4 → Avec un pinceau large, marquez en noir le contour des yeux (paupières mobiles et bords inférieurs). Puis avec un pinceau fin, tracez au fluide noir la ligne de séparation des babines (deux arcs de cercle sur la lèvre supérieure).

Avec un pinceau fin, posez  des points marron sur les babines en suivant un tracé en arabesque. Après avoir délimité le contour de la lèvre inférieure en noir, colorez-la en rouge avec un pinceau à lèvres.

5

Les couleurs utilisées

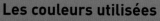

Un dalmatien

DIFFICULTÉ 🖐 🖐

Sur un fond qui admet peu les retouches, le dessin des babines est délicat à réaliser. Pour effectuer un tracé assuré, posez un doigt en appui sur la peau.

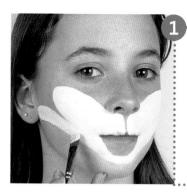

1 → Avec l'arête d'un pinceau large, délimitez au fard blanc le tracé du masque. Indiquez la langue de la renarde. Puis colorez toute cette zone au pinceau en veillant à réaliser un blanc homogène.

En utilisant l'arête d'un pinceau, bordez le contour supérieur de la zone blanche avec du fard orange. Puis avec une éponge, colorez en orange toute la partie supérieure du visage, sans oublier le pourtour des yeux et les oreilles. ← **2**

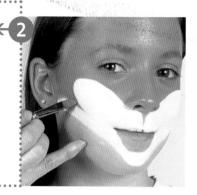

Une coiffure bien soignée et dégageant le visage donnera toute sa dimension à ce maquillage et en renforcera le graphisme.

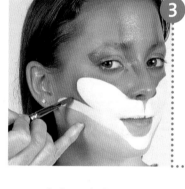

3 → Avec une éponge, appliquez du fard brun rouge sur le pourtour orangé du masque. Puis avec un pinceau large, esquissez sur le nez, au fard brun rouge, le dessin du museau. Prolongez-le sur le front. Marquez les paupières avec ce même ton, en partant des coins externes des yeux. Soulignez-en également les bords inférieurs des yeux. Reprenez le contour de ce masque au pinceau, à la limite de la zone blanche.

Colorez la langue en rouge. ← **4** Exécutez les tracés au fluide noir avec un pinceau fin. Indiquez le contour des yeux et prolongez les traits sur les paupières. Placez des poils à la racine des sourcils. Dessinez le contour des babines et de la langue, puis les points et les poils des babines.

Les couleurs utilisées

La renarde

DIFFICULTÉ 🖐 🖐 🖐

Afin de créer un joli modelé sur la partie orangée,
choisissez un brun rouge qui s'accorde bien avec cette couleur.
Différenciez les tracés bruns nets de ceux qui sont estompés.

Le loup

L'effet de ce maquillage sera plus réussi sur un modèle au front dégagé. Aussi, si nécessaire, prenez le temps de modifier la coiffure au préalable.

DIFFICULTÉ

Suivez bien la progression proposée pour cette étonnante métamorphose. Ne vous laissez pas impressionner par l'image finale !

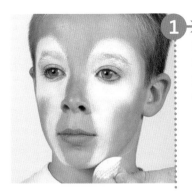

1 ➜ Avec une éponge, appliquez du fard blanc d'abord autour des yeux, puis le long du nez jusqu'à la base du menton. Le tracé de la partie inférieure du visage peut être réalisé au pinceau. Il est destiné à allonger cette zone et à la mettre en relief.

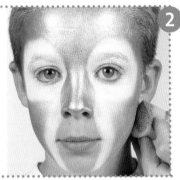

2 ➜ Avec une éponge, colorez en gris argent le reste du visage, sauf la zone qui va de la base du nez au menton. Estompez les traces de démarcation, sans mélanger les couleurs, en passant d'un geste léger un pinceau sec sur la limite entre les deux couleurs.

3 ➜ Avec un pinceau, indiquez en noir les traits de structure. Commencez par la gueule du loup : avec un pinceau fin, tracez-en d'abord le pourtour, puis réalisez le contour des dents. Ne colorez pas la lèvre inférieure. Enfin, comblez l'espace restant entre les dents avec du noir. Terminez par le dessin des yeux.

À l'aide d'un pinceau sec, estompez vers l'extérieur du visage les traits situés aux coins externes des yeux et sur le front ainsi que le tracé du contour du museau. Pour donner du relief au museau, estompez vers l'intérieur les tracés situés aux coins internes des yeux. ⬅ **4**

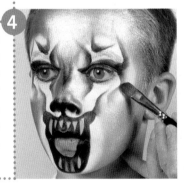

ASTUCE

Afin que le modèle puisse profiter longtemps de ce maquillage de loup aux crocs acérés, veillez à les placer autour de la bouche de manière à ce qu'ils résistent au premier festin...

5 ➜ Avec un pinceau fin, colorez les dents du loup en blanc. Appliquez du rouge sur la lèvre inférieure à l'emplacement de la langue. Pour compléter le graphisme de ce masque, avec un pinceau fin, figurez au fluide noir les poils de la bête par un tracé en dents de scie sur le pourtour du visage.

Les couleurs utilisées

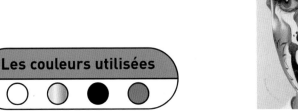

Le nounours

Ce masque empreint de douceur est conçu tout en rondeurs, dans l'esprit « nounours », avec des couleurs chaudes !

DIFFICULTÉ 🖐 🖐 🖐

Ce masque, outre les oreilles, est formé de deux volumes qui doivent être les plus arrondis possibles. Vous pouvez les réaliser à l'aide du bord de l'éponge ou au pinceau.

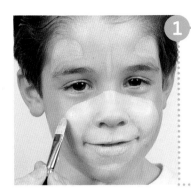

1 → Avec un pinceau large, dessinez en jaune les oreilles de l'ourson de chaque côté du front. Tracez un trait vertical au milieu du front. Indiquez le contour du museau avant d'en couvrir la surface à l'éponge.

Appliquez au pinceau du beige sur le haut des paupières. Avec un pinceau, dessinez les lignes de contour des volumes en marron, puis terminez de colorer le reste du masque à l'éponge. ← **2**

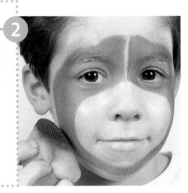

3 → Dessinez une truffe noire avec un pinceau large en formant un bel arrondi qui englobe les ailes du nez. Avec l'arête du pinceau, tracez les lignes de contour des babines. Elles partent du milieu de la lèvre supérieure et sont ascendantes à partir de la commissure des lèvres.

ASTUCE

Afin de réaliser du premier coup le tracé délicat des lignes noires des babines, vous pouvez déjà les esquisser au pinceau lors de l'application du jaune.

4
↓ Avec un pinceau large, colorez les sourcils en brun. Utilisez le même pinceau pour réaliser le contour du masque. Soulignez de brun la ligne jaune, dans l'axe du visage, figurant la couture. N'oubliez pas de la prolonger sur l'extrémité du menton.

Les couleurs utilisées
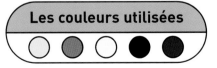

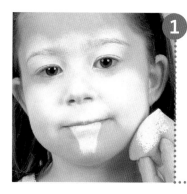

1 → Avec un pinceau large, posez un aplat de blanc sur la lèvre inférieure et le menton. Avec une éponge, appliquez du fard blanc sur les paupières et au-dessus des sourcils puis, à partir de la zone intersourcilière, sur la partie centrale du visage et sur les joues.

Le choix du rose apporte une note de douceur à ce maquillage. Pour un petit garçon, choisissez un ocre jaune qui sera également d'un bel effet.

Appliquez une touche de couleur sur le nez et dessinez les babines. Estompez l'intérieur du tracé rose sur le blanc de la babine. Avec un pinceau large, marquez en rose le bord externe des paupières et estompez-le. **← 2**

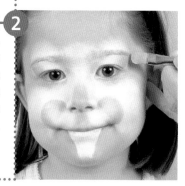

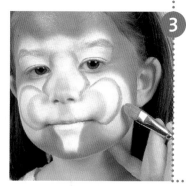

3 → Tracez au pinceau les petits sourcils du lapin en brun, puis soulignez les bords inférieurs des yeux. Dessinez les contours du nez et des babines ainsi que le tour des dents. Appliquez ensuite cette couleur à l'éponge sur le reste du visage.

ASTUCE

L'utilisation d'une éponge permet d'estomper la limite entre le fard et la peau dès l'application. Voyez la différence d'aspect des contours au pinceau (menton et lèvre inférieure) et à l'éponge (joues) sur la première photo.

Avec un pinceau fin, marquez **← 4** le contour des yeux en brun foncé. Puis, toujours avec un pinceau fin, dessinez au fluide noir la ligne de séparation des babines et le contour des dents. Faites le dessin du nez et tracez des poils fins et recourbés, sans oublier les petits points noirs des poils.

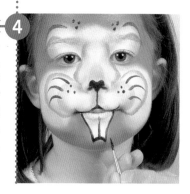

Les couleurs utilisées

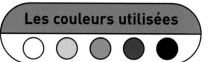

Le lapin

Le graphisme en arrondi des babines confère un aspect joufflu à ce lapin. Il est repris lors de l'application de chacune des couleurs.

Le papillon

Ce maquillage se prête parfaitement à l'ajout de paillettes. N'hésitez pas à en parsemer sur le visage de votre modèle, pour son plus grand bonheur !

DIFFICULTÉ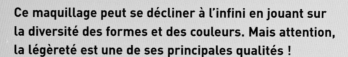

Ce maquillage peut se décliner à l'infini en jouant sur la diversité des formes et des couleurs. Mais attention, la légèreté est une de ses principales qualités !

 Avec un pinceau large, appliquez du fard jaune au-dessus et au-dessous des yeux. Procédez par balayage de l'intérieur vers l'extérieur du visage. Commencez par le front et terminez par les joues.

Les couleurs utilisées

Placez le bout arrondi du pinceau sur la peau, à l'aplomb de l'amorce du sourcil, et balayez avec du fard rose jusqu'au jaune. Avec un rose plus soutenu, marquez la partie externe des ailes et balayez la couleur, du bord vers l'intérieur, de manière à obtenir un ton orangé. Puis avec l'arête du pinceau, tracez les antennes et colorez la bouche avec cette même teinte.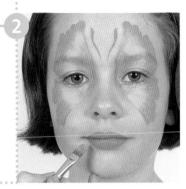

ASTUCE

Libre à vous de jouer avec d'autres harmonies de couleurs, selon votre goût ou celui de votre modèle.

 Avec un ton plus foncé — ici du violet —, soulignez au pinceau les antennes ainsi que les bords internes des ailes. Délimitez les bords externes des ailes : placez l'arête du pinceau sur la peau et effectuez le tracé du contour en partant du haut du visage et en allant vers le bas.

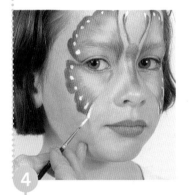

Avec un pinceau large, apposez une touche de doré le long du nez, à partir de sa racine. Avec un pinceau fin, ajoutez au fard fluide blanc quelques points de lumière sur la partie externe des ailes.

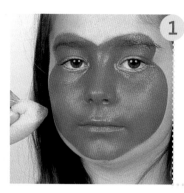

1 Avec l'arête d'un pinceau large ou le bord arrondi d'une éponge, délimitez le contour du masque au fard rouge. Colorez à l'éponge l'intérieur de l'espace démarqué en rouge, sans oublier la zone des sourcils. Pour les paupières mobiles, utilisez peu de matière.

Avec un pinceau large, dessinez un triangle noir entre les sourcils ainsi que la tête et les antennes de la coccinelle. Cernez de noir le contour supérieur du masque à partir des bords externes de la partie mobile des paupières. Avec l'arête du pinceau, tracez l'axe du visage en noir. Terminez-le par deux petites courbes, au bas du menton. **2**

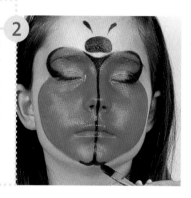

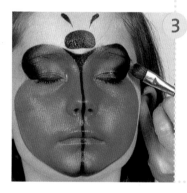

3 Avec un pinceau large, propre et sec, estompez les tracés noirs qui bordent le masque au-dessus des yeux. D'un geste doux, balayez le noir sur le rouge au niveau des paupières et le long des cils. De la même manière, estompez les lignes au bas du menton sur le fond rouge.

Pour dessiner les points de la coccinelle, utilisez un pinceau large à bout arrondi. Il vous permet de réaliser chaque point en deux temps, sous la forme de deux demi-cercles. Placez les points de façon symétrique sur chaque joue et aux commissures des lèvres. **4**

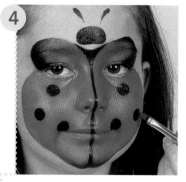

ASTUCE

Si vous n'avez pas le geste sûr pour réaliser les points au pinceau, vous pouvez les faire du bout de l'index. Avant chaque point, mettez de la couleur sur votre doigt.

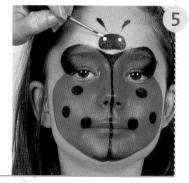

5 Avec un pinceau fin, dessinez au fluide blanc deux points pour les yeux de la coccinelle.

Les couleurs utilisées

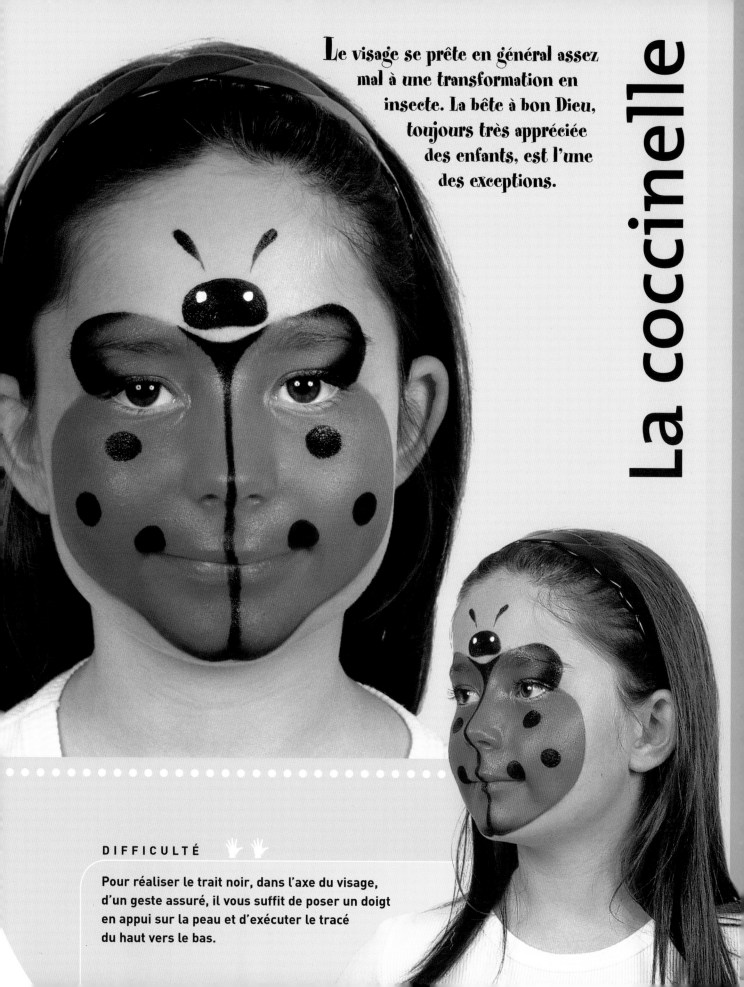

Le visage se prête en général assez mal à une transformation en insecte. La bête à bon Dieu, toujours très appréciée des enfants, est l'une des exceptions.

La coccinelle

DIFFICULTÉ 🖐 🖐

Pour réaliser le trait noir, dans l'axe du visage, d'un geste assuré, il vous suffit de poser un doigt en appui sur la peau et d'exécuter le tracé du haut vers le bas.

L'oiseau

Choisissez des couleurs chaudes ou froides selon le goût de votre modèle. Et n'oubliez pas les paillettes !

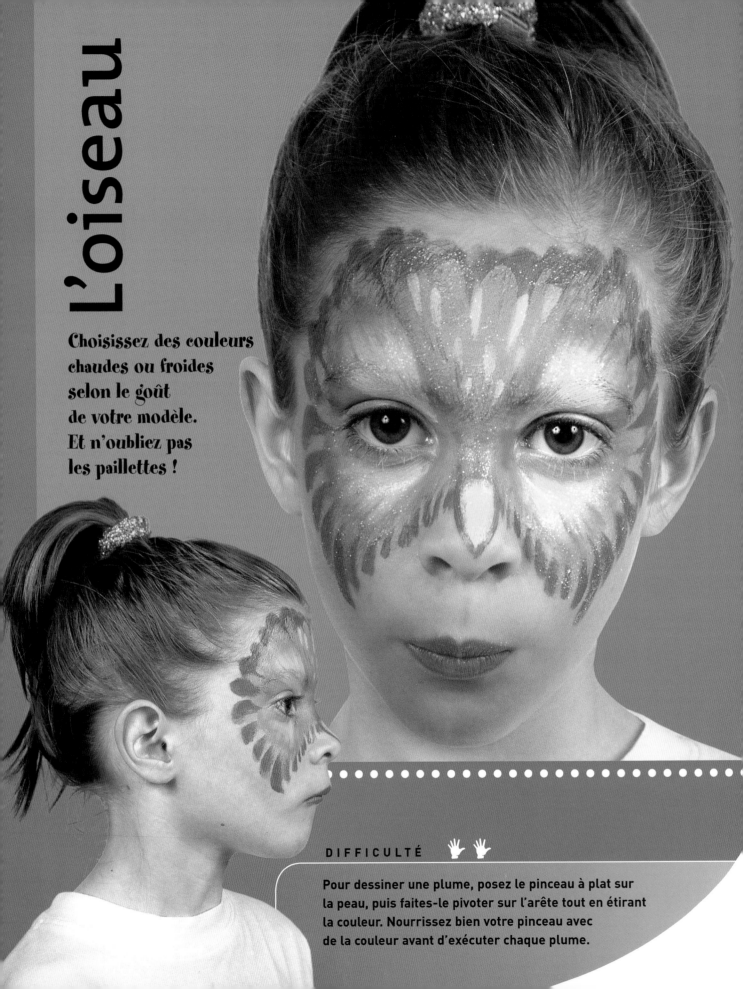

DIFFICULTÉ

Pour dessiner une plume, posez le pinceau à plat sur la peau, puis faites-le pivoter sur l'arête tout en étirant la couleur. Nourrissez bien votre pinceau avec de la couleur avant d'exécuter chaque plume.

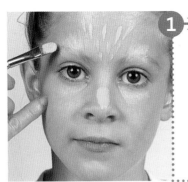

1 → Situez le bec sur le nez puis, avec l'arête du pinceau, dessinez des petites plumes sur le milieu du front. Avec un pinceau large, appliquez du fard jaune au-dessus et au-dessous des yeux, en partant du coin interne des yeux et en étirant la couleur vers l'extérieur du visage.

Appliquez du fard vert clair, bien lumineux, sur le pourtour des aplats de jaune ainsi que sur le nez, entre les yeux. Procédez par petites touches, avec l'arête du pinceau. Afin de lier harmonieusement cette couleur avec la précédente, faites glisser le bout du pinceau de l'extérieur du visage vers le centre. ← **2**

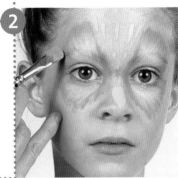

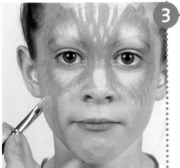

3 → Colorez la partie centrale du front en bleu clair en progressant de la zone située entre les sourcils vers le haut du front. Appliquez la couleur sur le pourtour des plumes vertes comme dans l'étape précédente, mais en faisant cette fois apparaître le dessin des plumes. Étalez également du bleu sur les bords inférieurs des yeux et sur la partie mobile des paupières.

ASTUCE

Pour être certain d'obtenir de belles couleurs intermédiaires, choisissez des couleurs telles qu'elles se présentent dans un arc-en-ciel. Si vous faites se chevaucher des couleurs complémentaires, le résultat sera moins beau.

4

↓ Dessinez au pinceau les plumes violettes formant le contour du masque. Elles s'effilent dans les interstices des plumes bleues. Elles sont plus larges sur le front et s'affinent sur les joues et aux abords du nez. Délimitez en violet le contour jaune du bec. Avec un pinceau à lèvres, colorez la bouche en rose.

Les couleurs utilisées

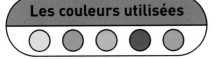

La grenouille

La grenouille
est souvent
représentée avec
des tonalités
assez vives. À partir
de ce graphisme,
vous pouvez la réaliser
dans une autre harmonie
colorée.

DIFFICULTÉ

Lorsque vous estompez le vert, veillez à conserver du jaune vif
sur les zones du masque à mettre en relief - les yeux, le haut
des pommettes, les ailes du nez et la lèvre inférieure.

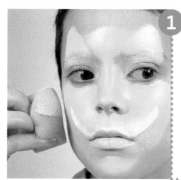

1 → Avec un pinceau large, esquissez l'arrondi de la bouche en blanc. Puis appliquez à l'éponge les divers aplats de fard jaune qui composent ce masque. Procédez du haut du visage vers le bas ; commencez par les yeux. Utilisez le bord de l'éponge pour délimiter les contours du masque.

Les couleurs utilisées

Avec l'arête d'un pinceau, tracez en vert foncé **2** ← les lignes de contour des différentes zones. Commencez par les lignes partant du bout du nez et qui se terminent aux coins internes des yeux. Placez les traits de la partie centrale du visage (ailes du nez, lignes de la bouche et de la pliure du menton). Puis tracez le contour de la partie inférieure du masque, au départ des coins internes des yeux.

ASTUCE

Les volumes propres à ce masque sont esquissés dès l'application de la première couleur, ce qui facilite l'opération suivante.

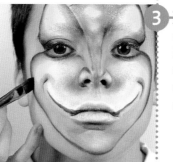

3 → À l'aide d'un pinceau large bien propre, estompez les tracés verts en balayant la couleur sur le jaune avec des gestes lents et réguliers. Estompez les lignes des yeux de la grenouille sur le nez, vers l'arête, et au-dessus de l'œil, à partir des sourcils.

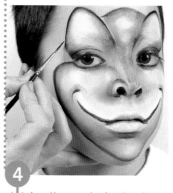

4
↓ Appliquez du fard noir au pinceau sur le bord des narines afin de les élargir. Avec un pinceau fin, reprenez au fluide noir les contours externes des yeux de la grenouille, sur le front.

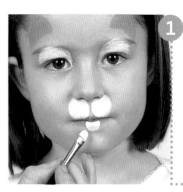

1 → Avec un pinceau large, tracez au fard rose deux demi-cercles sur le front, au-dessus de la pointe des sourcils. Appliquez du fard blanc au pinceau sur la zone non mobile des paupières, puis dessinez les deux pastilles rondes des babines, qui mordent sur la lèvre supérieure, ainsi qu'une petite pastille sur le milieu de la lèvre inférieure.

Avant d'appliquer ← **2** un fond gris à l'éponge, utilisez un pinceau pour couvrir les parties délicates (contours des yeux, des babines et du masque). Tapotez l'éponge sur la peau de façon régulière pour obtenir un fond de couleur homogène.

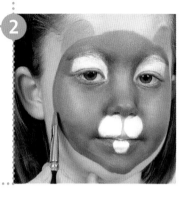

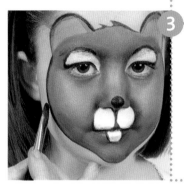

3 → Avec un pinceau large, délimitez le contour des paupières en noir, puis colorez les paupières mobiles. Peignez une pastille noire sur le bout du nez. Indiquez le contour des babines et des dents. Enfin, délimitez le contour du masque après avoir ajouté du gris en bordure des oreilles de la souris.

Avec un pinceau sec, ← **4** estompez en partie la ligne de contour du masque sur le fond gris. Tracez, à l'aide d'un pinceau fin, la ligne médiane des dents au fluide noir. Puis dessinez des points sur les babines de la souris et quelques poils longs et fins.

Observez attentivement le visage de votre modèle. Déterminez la place et la taille des oreilles selon la forme de son front et l'implantation de ses cheveux.

ASTUCE

Notez l'emplacement des babines. Elles s'inscrivent dans une zone bien précise. Elles ne doivent pas aller au-delà de la commissure des lèvres pour affiner cette partie du masque.

Les couleurs utilisées

La souris

DIFFICULTÉ ✋ ✋ ✋

Afin de simplifier l'exécution de ce maquillage, seuls
les bords supérieurs des yeux sont marqués de noir.
Mais étalez le gris jusqu'aux bords inférieurs des yeux
pour bien cerner le regard.

Le serpent

Ajoutez du relief
à ce maquillage pour
le parfaire. Appliquez
du jaune au bord de la partie
supérieure de la gueule,
puis estompez-le sur le vert.

DIFFICULTÉ

Afin de réaliser un graphisme à l'aspect symétrique,
il vous suffit de pointer le départ des lignes d'un côté
et de l'autre du visage avant de les tracer.

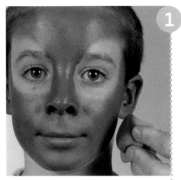

1 → Avec une éponge, appliquez un fond vert moyen sur le visage, y compris sur les lèvres, mais en évitant la zone située autour des yeux (voir étape n° 3). Délimitez cette zone à l'aide du bord de l'éponge ou d'un pinceau. Colorez les oreilles.

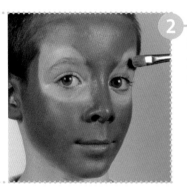

2 → Appliquez, avec un pinceau large, un vert clair lumineux pour figurer les yeux du serpent autour des yeux du modèle.

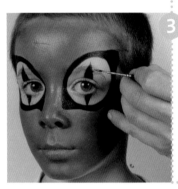

3 → Avec un pinceau, cernez le contour des yeux du serpent en noir. Puis indiquez l'emplacement des petits triangles noirs des yeux avec un pinceau fin. Ceux du haut sont situés au-dessus des paupières mobiles.

Avec un pinceau large, tracez le bout du nez et l'arc de cercle au-dessus de la lèvre supérieure. Continuez par le contour de la gueule du serpent, de la lèvre inférieure jusqu'à la racine des cheveux. À l'aide d'un pinceau propre, estompez le dessin de la gueule, en allant vers le bas. Avec un pinceau fin, dessinez au fluide noir les lignes des écailles, à partir du contour des yeux. ← **4**

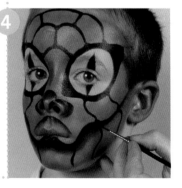

ASTUCE

Pour que les contours des deux yeux soient similaires, esquissez d'abord des traits fins que vous élargirez progressivement. Faites de même pour dessiner les motifs des yeux du serpent.

5 → Reprenez toutes les lignes des écailles et, avec un pinceau propre et sec, estompez la partie inférieure de leurs tracés sur le fond vert. Estompez la partie interne des écailles situées au bas du visage.

Les couleurs utilisées

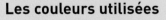

Avec ce maquillage, votre modèle ne manquera pas de susciter le rire, surtout s'il a lui-même fait le choix de cette métamorphose !

Le singe

DIFFICULTÉ

Pour obtenir un bel effet de volume, étudiez bien le masque avant de procéder à l'estompe des traits du bout du nez et de la bouche. Ne vous trompez pas de côté !

Avec une éponge, appliquez du fard jaune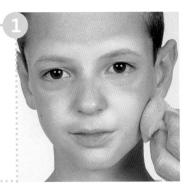
sur la partie centrale du visage. L'espace à réaliser
ressemble à un cœur. Il n'est pas nécessaire
de colorer les paupières, le nez et les lèvres.
La couleur contourne la ligne des sourcils.

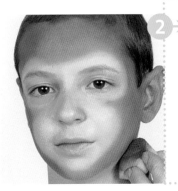

Avec une éponge, colorez avec du fard brun roux
la partie située autour de la zone délimitée précédemment,
sans oublier les oreilles. Étalez bien la couleur jusqu'à
la racine des cheveux. L'application de cette teinte
permet de mieux définir le dessin du masque.

Avec un pinceau large, indiquez les traits
du faciès en noir. Dessinez les paupières puis, avec
l'arête du pinceau, marquez les traits sous les yeux
et à la racine du nez. Réalisez le dessin sur les ailes
du nez et les deux lignes autour, en arrondi.
Exécutez d'abord la ligne de la bouche, à partir
de la lèvre inférieure, puis celles des babines.

Estompez partiellement les tracés
noirs avec un pinceau propre et sec.
Étirez la couleur sur les paupières
jusqu'au haut des sourcils, puis le long
de l'arête du nez en partant de sa racine.
Procédez ensuite à l'estompe délicate
des traits marquant le dessous des yeux
et le dessin de la bouche.

ASTUCE

Le dessin à l'éponge
permet d'apposer la couleur
sans démarcations. Lors
de l'application, les contours
se fondent avec la couleur
qu'ils jouxtent.

Avec un pinceau moyen, appliquez du fard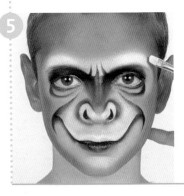
blanc sur la lèvre supérieure, sur la zone
délimitée au bout du nez, afin de lui donner
un aspect plus saillant, eanfin sur les arcades
sourcilières. Balayez le fard d'un geste léger
en estompant les traces de démarcation
de cette couleur.

Les couleurs utilisées

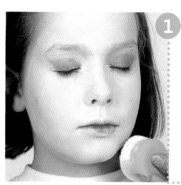

1 → Avec une éponge, appliquez du fard blanc sur tout le visage, sauf sur la partie mobile des paupières et la lèvre inférieure, en faisant des mouvements circulaires pour imprimer un voile fin et homogène. Étalez la couleur jusqu'aux bords inférieurs des yeux. Estompez-la sur le contour du visage.

Avec un pinceau, tracez en noir, au-dessus de chaque **2** ← sourcil, un arc de cercle dont les extrémités jouxtent celles des sourcils. Colorez les paupières mobiles en noir ; leur dessin se termine en pointe pour créer des yeux en amande. Tracez des traits verticaux à partir des narines, puis la ligne du museau, du bord de la lèvre inférieure jusqu'au niveau des yeux en passant par le coin des lèvres.

3 → Avec un pinceau large, réalisez en brun roux le tracé qui part de la lèvre supérieure et va jusqu'à la racine du nez, puis longez le tracé en pointe du museau. Dessinez les cornes sur le front. Colorez l'arrondi du menton et placez les taches sur les joues.

Avec un pinceau, colorez en **4** ← jaune d'or l'intérieur des motifs du front et des joues. Avec ce même pinceau, estompez la limite entre les deux fards (jaune et brun). L'application du jaune accentue le relief tout en nuançant et en réchauffant le teint de la girafe.

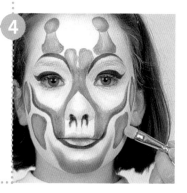

ASTUCE

Pour agrandir le regard, les yeux sont entourés d'un halo blanc, les sourcils sont rehaussés et la ligne des cils est placée bien au-dessous des yeux.

5 → Avec un pinceau propre et sec, estompez la limite entre le blanc et le brun sur le haut des pommettes et sur le haut du menton. Avec un autre pinceau, estompez en partie les lignes noires du haut des yeux et des narines. Prenez un pinceau propre pour estomper le museau vers l'intérieur. Colorez la lèvre inférieure avec la couleur qui se trouve sur votre pinceau. Avec un pinceau fin et du fluide noir, marquez la ligne des cils sur le haut des pommettes. Soignez son inclinaison.

Les couleurs utilisées

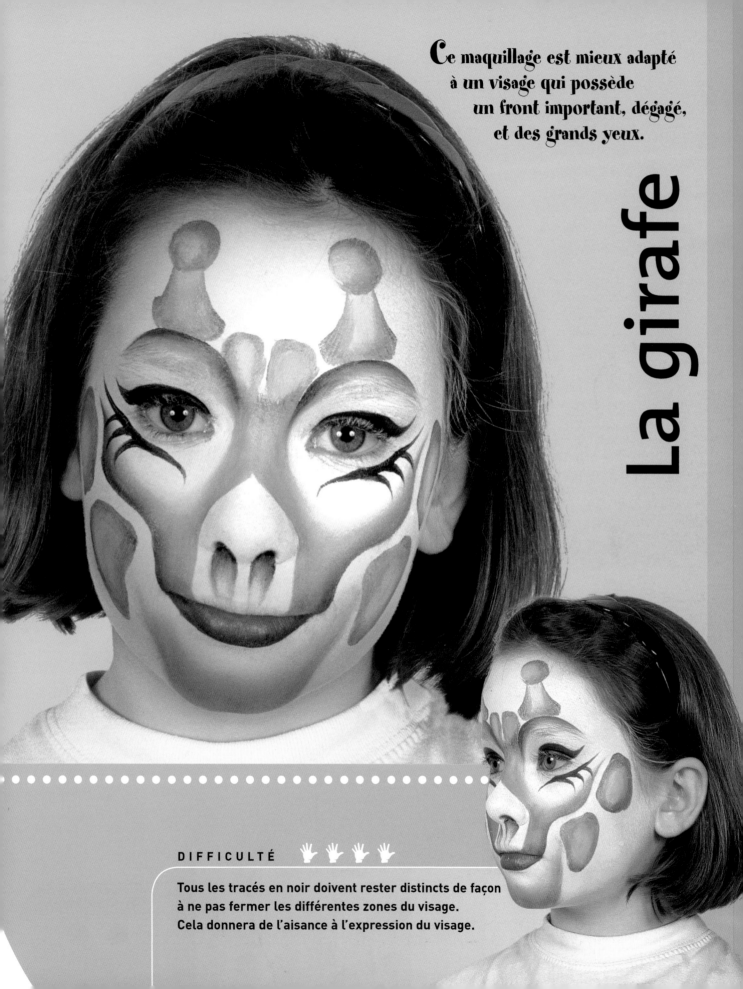

Ce maquillage est mieux adapté
à un visage qui possède
un front important, dégagé,
et des grands yeux.

La girafe

DIFFICULTÉ 🖐 🖐 🖐 🖐

Tous les tracés en noir doivent rester distincts de façon
à ne pas fermer les différentes zones du visage.
Cela donnera de l'aisance à l'expression du visage.

Chaque clown se caractérise par le dessin de son sourcil, le paraphe qui est sa signature. À vous de dessiner le sourcil qui ira le mieux à votre modèle.

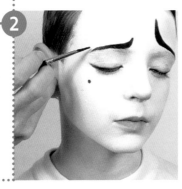

1 → Avec une éponge, appliquez un fond blanc sur tout le visage, sauf sur les lèvres. Veillez à bien recouvrir les sourcils de façon à les cacher au mieux. Faites un fond blanc bien couvrant et homogène et étalez la couleur jusqu'à l'amorce du col, tout en l'estompant à cet endroit.

Avec un pinceau fin, indiquez le contour des yeux avec du fluide noir. Puis dessinez les sourcils du clown alors que votre modèle a les yeux fermés. Les deux sourcils ne doivent pas être identiques. Enfin, placez une mouche sur la joue. ← **2**

3 → Colorez les lèvres en rouge à l'aide d'un pinceau à lèvres. Soignez bien le dessin de la bouche. Avec un pinceau large, peignez en rouge la base du nez ainsi que la partie visible des oreilles.

ASTUCE

Lorsque vous surlignez le bord supérieur des yeux, votre modèle doit fermer les yeux et les garder ainsi jusqu'à ce que le fluide soit sec. Pour souligner le bord inférieur des yeux, il doit regarder en l'air afin de faciliter votre geste.

Les couleurs utilisées

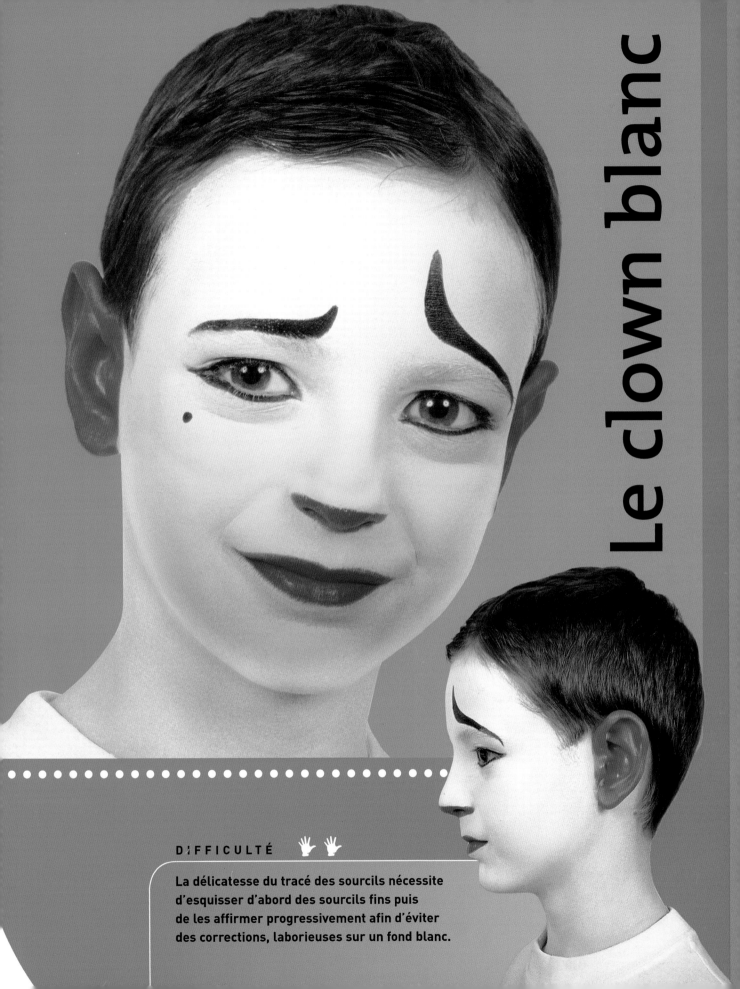

Le clown blanc

DIFFICULTÉ 🖐 🖐

La délicatesse du tracé des sourcils nécessite
d'esquisser d'abord des sourcils fins puis
de les affirmer progressivement afin d'éviter
des corrections, laborieuses sur un fond blanc.

L'auguste

Tout en gardant
l'esprit du maquillage
de cet illustre personnage,
adaptez le dessin des sourcils
et de la bouche au visage
de votre modèle.

Pour réaliser les traits noirs des contours, posez
l'arête du pinceau sur la peau, puis faites-le pivoter
entre vos doigts tout en traçant.

1 → De manière à agrandir les paupières et le contour de la bouche, appliquez du blanc avec un pinceau large d'abord sur les paupières et une partie du front, en masquant au mieux les sourcils. Étirez légèrement le fard sur la partie mobile des paupières. Ensuite, marquez l'espace autour de la bouche au pinceau ou à l'éponge.

2 → Avec une éponge, appliquez un fond ocre jaune sur le reste du visage, sauf sur le bout du nez. Colorez les oreilles. Estompez le fard sur le pourtour du visage avec l'éponge. Pour le contour des zones blanches, vous pouvez utiliser un pinceau large.

3 → Avec un pinceau large, appliquez du fard jaune sur le milieu des paupières de l'auguste. Évitez de mélanger cette couleur au blanc pour qu'elle garde toute son intensité. Puis colorez les pommettes en rouge. Avec une éponge, tapotez d'un geste régulier le fard sur la peau.

ASTUCE

Afin de tracer les traits verticaux bien dans l'axe du regard, vous pouvez poser le petit doigt en appui sur la peau pour plus de stabilité.

Colorez au pinceau le bout du nez en rouge. Faites un nez rouge, bien rond, délimité par les ailes du nez. Utilisez le bout arrondi d'un pinceau pour dessiner la bouche. **← 4**

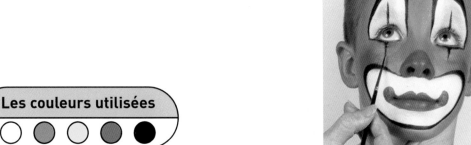

5 → Avec un pinceau large, tracez en noir les contours des paupières et de la bouche. Puis, au moyen d'un pinceau fin, soulignez le bord inférieur des yeux au fluide noir. Enfin, placez des traits verticaux dans l'axe des pupilles.

Les couleurs utilisées
○ ● ○ ● ●

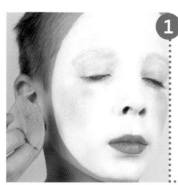

1 → Commencez par marquer le contour du masque à l'aide du bord arrondi d'une éponge chargée de fard blanc. Puis colorez le visage, sauf les lèvres, avec un blanc couvrant. Insistez bien avec l'éponge sur les sourcils pour les masquer, mais posez seulement un voile de fard sur la partie mobile des paupières. Toujours avec une éponge, appliquez du rose sur les joues.

Avec un pinceau large, indiquez le contour des yeux en bleu, puis étalez la couleur sur les paupières. Avec le pinceau, reprenez le contour du masque en bleu, puis estompez le tracé vers l'intérieur du visage afin de créer une couleur dégradée. ← **2**

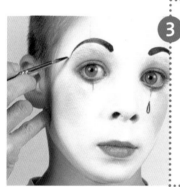

3 → Dessinez le contour d'une larme sur la joue, dans l'axe de l'iris. À l'aide d'un pinceau fin, tracez des sourcils en arc de cercle avec du fluide noir. Situez-les juste au-dessus de ceux du modèle.

ASTUCE

Le contour bleu du masque permet de redéfinir le tracé et d'en parfaire la forme ovale.

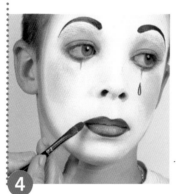

4 ↓ Tracez le contour des lèvres avec un pinceau fin et du fard bleu moyen. Accentuez l'arrondi de la lèvre supérieure de façon à lui donner un aspect légèrement tombant. Appliquez ensuite du bleu clair sur le milieu des lèvres et liez les deux teintes.

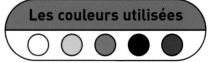

Les couleurs utilisées

Pour parfaire ce maquillage,
placez quelques paillettes
argentées sur le haut
des paupières et sur
la larme de Pierrot.

Pierrot

DIFFICULTÉ 🖐 🖐 🖐

Pour rendre plus aisé le délicat tracé des sourcils,
posez un doigt en appui sur la peau du modèle.
Évitez de faire trop de retouches afin
que les sourcils conservent leur finesse.

Colombine

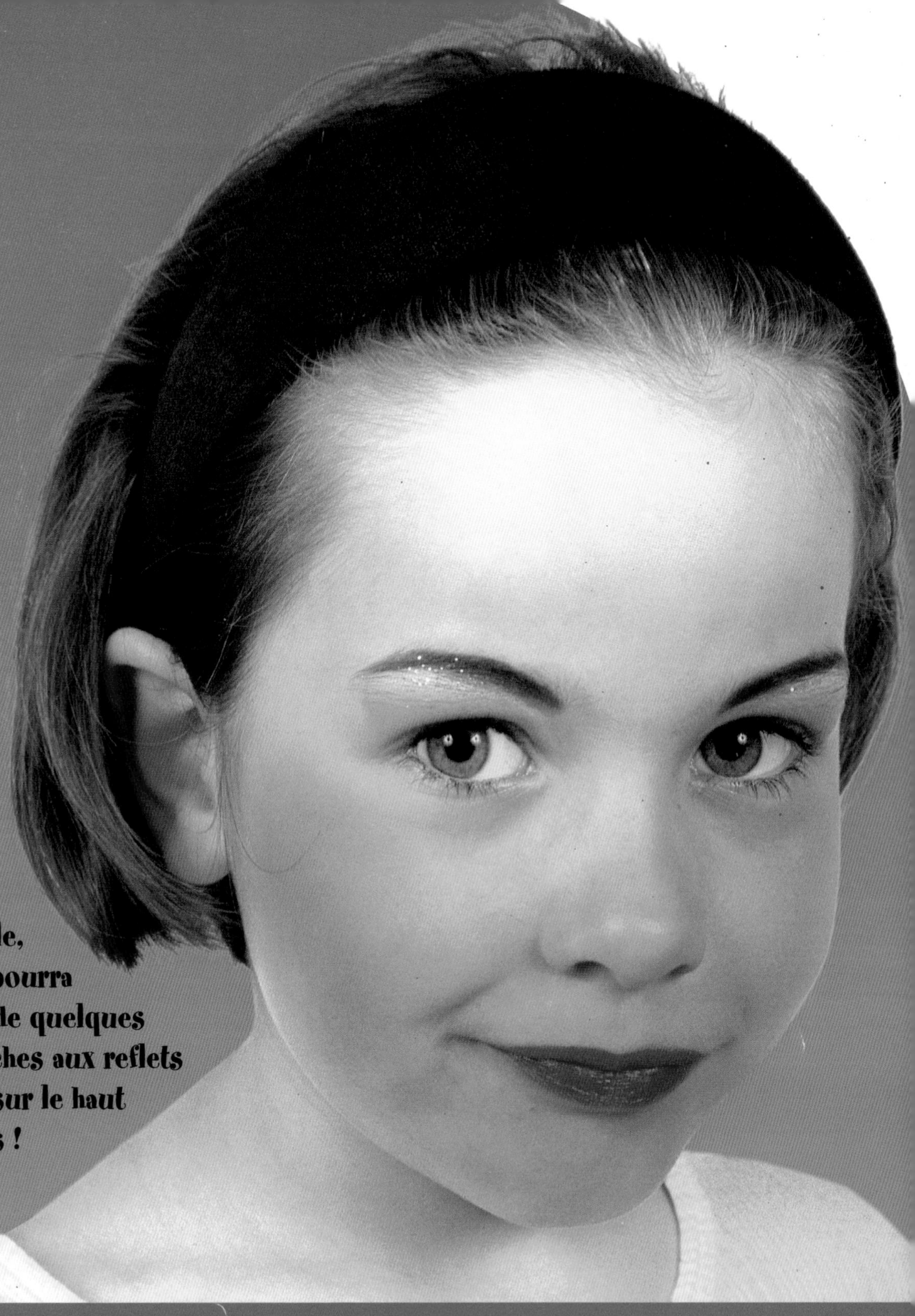

Pour le plus grand plaisir de votre modèle, ce maquillage pourra être rehaussé de quelques paillettes blanches aux reflets irisés placées sur le haut des pommettes !

DIFFICULTÉ

Pour réaliser un joli dégradé au-dessus des yeux, posez le bout du pinceau sur le coin externe des paupières, puis étirez la couleur vers le coin interne. Veillez à ne pas toucher la partie mobile des paupières.

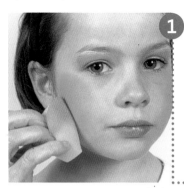

1 → Commencez par appliquer un voile de fard blanc avec un pinceau large sur le haut des paupières, sur la base des sourcils. Puis, toujours au pinceau, appliquez du rose clair sur les paupières. Utilisez la même teinte pour les joues. Avec une éponge, tapotez le fard sur la peau.

Les couleurs utilisées

○ ○ ● ●

Redessinez les sourcils avec ← **2** un pinceau de taille moyenne et du fard sépia. Tracez deux belles lignes en arc de cercle qui vont en s'affinant vers l'extérieur des paupières. Adaptez leur forme au visage de votre modèle.

ASTUCE

Ce « maquillage beauté » doit être traité de manière nuancée. Aussi, il est préférable d'adapter la couleur des sourcils à celle des cheveux du modèle.

3

↓ Avec un pinceau à lèvres, colorez la bouche avec un rose soutenu. Préférez une teinte proche du carmin, bien en harmonie avec le rose choisi ici. Soignez le dessin des lèvres.

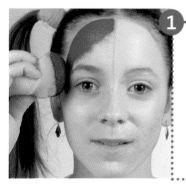

1 → Commencez par poser la couleur la plus claire, ici le jaune, sur une moitié du visage, en évitant les lèvres. Pour réaliser le contour, appliquez le fard sur le bord d'une éponge et tapotez-la sur la peau d'un geste régulier, du haut du visage vers le bas, puis colorez la partie ainsi délimitée. Procédez de même pour l'autre couleur, ici le bleu.

Ce masque de carnaval peut également être exécuté avec bien d'autres couleurs. Choisissez des tons assortis au costume du modèle.

Avec des Cotons-Tiges, enlevez le fard aux endroits — paupières et joues — à peindre avec la couleur opposée. Les Cotons-Tiges doivent au préalable être imbibés d'eau puis essorés avec les doigts ; utilisés secs, ils seraient moins efficaces. **2**

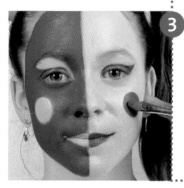

3 → À l'aide d'un pinceau, appliquez les fards sur les parties nettoyées. Commencez par la paupière, continuez par la lèvre et terminez par la joue. Faites une moitié du visage puis l'autre. Le dessin des lèvres doit donner un aspect souriant.

ASTUCE

Ce maquillage requiert des gestes précis. Afin de stabiliser la main tenant le pinceau, vous pouvez poser le petit doigt en appui sur une partie intacte de la peau.

Enfin, tracez les sourcils au pinceau avec du fard noir. Ils ont chacun une forme différente, de manière à faire ressortir le caractère «décalé» du personnage. Amorcez un trait fin et affirmez-le progressivement. **4**

Les couleurs utilisées

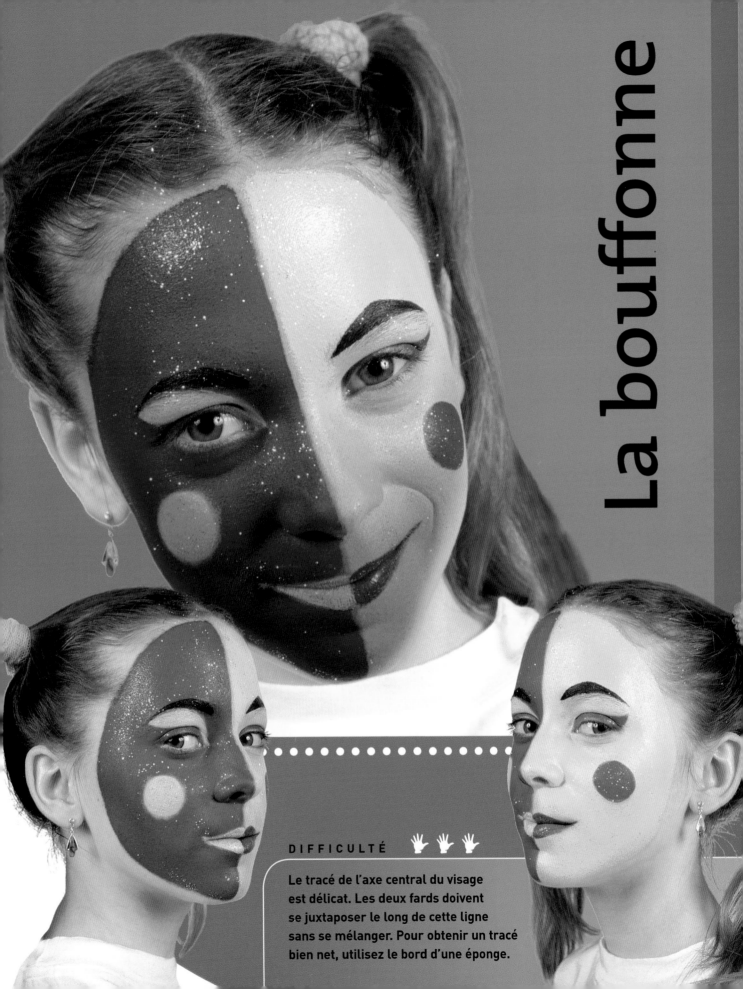

La bouffonne

Le tracé de l'axe central du visage est délicat. Les deux fards doivent se juxtaposer le long de cette ligne sans se mélanger. Pour obtenir un tracé bien net, utilisez le bord d'une éponge.

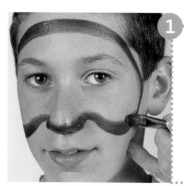

1 À l'aide d'un pinceau large, tracez le contour du masque avec du fard sépia. Veillez à dessiner un bel arrondi sur le haut du front. Puis esquissez le contour inférieur, à partir de la base du nez, qui vous servira également de repère pour le dessin des joues.

Répartissez la couleur (sépia) sur toute la surface ainsi délimitée. Utilisez le bord de l'éponge pour colorer la partie externe du masque, et son côté bombé pour réaliser la partie centrale. Amenez la couleur au plus près des contours des yeux. **2**

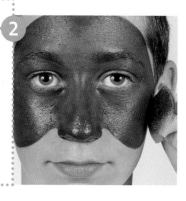

3 À l'aide d'un pinceau large, tracez avec du fard blanc des arcs juste au-dessus des sourcils, d'un seul coup de pinceau. Faites-le pivoter de l'arête à la partie plate, et inversement. Faites ressortir le haut du masque et les parties saillantes du nez et terminez par le volume des pommettes.

Les parties saillantes doivent refléter la lumière. Aussi, à l'aide d'un pinceau propre et sec, estompez les tracés blancs de manière à donner une impression de relief. Le haut des pommettes correspond à la partie la plus blanche du modelé réalisé. **4**

Voici un clin d'œil au masque originel d'Arlequin : objet en cuir, au nez exagérément long et aquilin, et cachant la partie supérieure du visage.

ASTUCE

Ce masque est une bonne occasion pour s'exercer à la création d'un volume. Avant de vous lancer, étudiez la manière dont la lumière se reflète sur les objets autour de vous.

Les couleurs utilisées

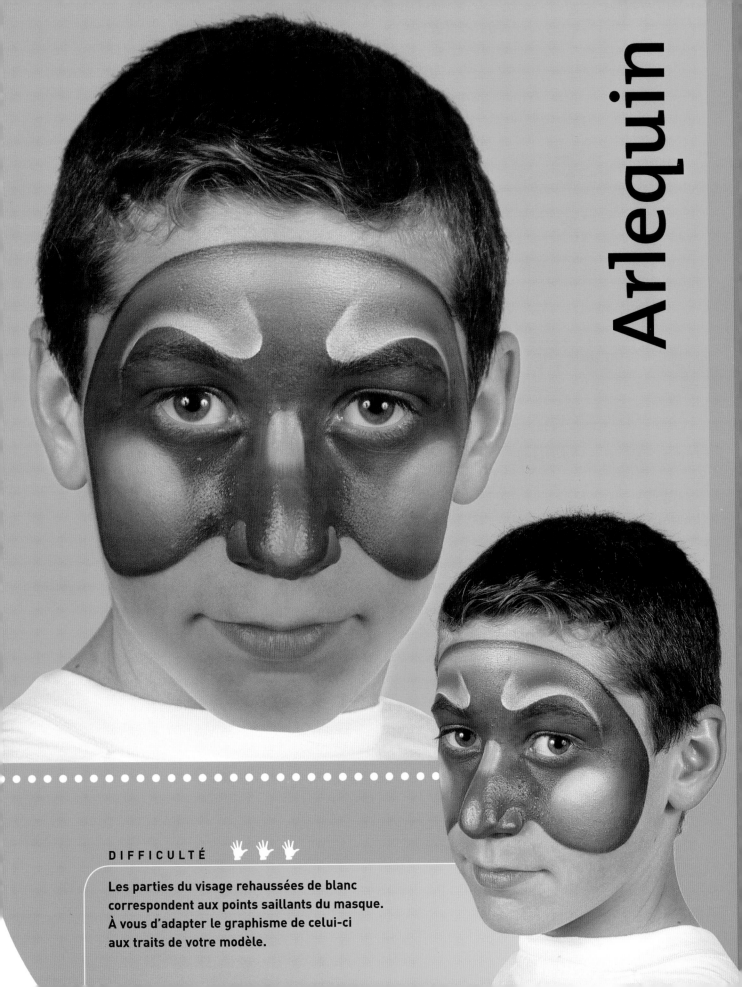

Arlequin

Les parties du visage rehaussées de blanc
correspondent aux points saillants du masque.
À vous d'adapter le graphisme de celui-ci
aux traits de votre modèle.

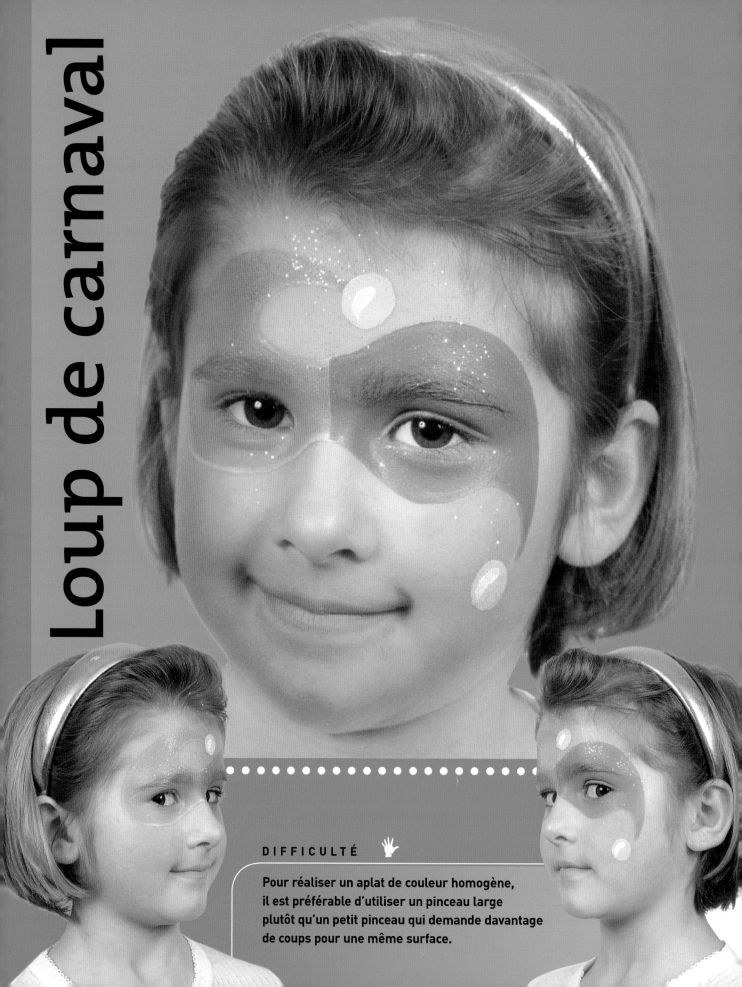

Loup de carnaval

La réalisation de ce traditionnel loup de carnaval constitue un bon exercice pour se familiariser avec l'application des couleurs et leurs harmonies ainsi qu'avec l'utilisation de l'éponge et du pinceau.

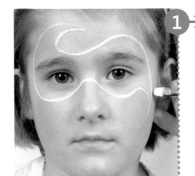

1 → Avec une éponge, tapotez du fard rose sur les joues. Très peu de couleur suffit. Ensuite, délimitez le contour du masque avec du fard blanc. Utilisez soit un pinceau fin, soit l'arête d'un pinceau large.

Avec un pinceau large, appliquez ← **2** du fard orangé sur une moitié du masque. Pour le confort du modèle, utilisez peu de matière pour recouvrir la paupière. Cela suffit pour restituer l'éclat de la couleur et pour donner l'aspect d'un voile fin sur la peau.

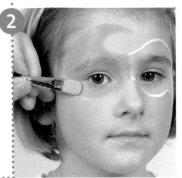

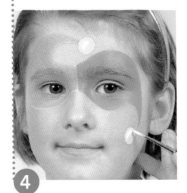

3 → Après avoir bien nettoyé votre pinceau, appliquez du fard vert turquoise sur l'autre partie du masque. Soignez le dessin du contour de l'œil. Pour réaliser l'extrémité la plus fine du loup, tout en dessinant, faites pivoter entre vos doigts le pinceau sur l'arête.

ASTUCE

Parfois, il peut être utile de commencer par esquisser un tracé au pinceau en blanc. Cette couleur présente l'avantage de pouvoir se recouvrir facilement ; cela peut aussi vous donner plus d'assurance.

4 ↓ Avec un pinceau à lèvres, colorez la bouche en rose. Placez un rond jaune à chaque extrémité du masque. Posez le bout arrondi d'un pinceau large pour réaliser un demi-cercle, puis faites de même en sens inverse pour compléter le cercle. Ajoutez une touche de blanc sur les ronds jaunes avec un pinceau fin. Avec un pinceau à lèvres, colorez la bouche en rose.

Les couleurs utilisées

Le samouraï

Ce maquillage est inspiré des masques du théâtre kabuki du Japon ancien. Pour un meilleur résultat, veillez à bien dégager, au préalable, le visage du modèle.

 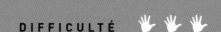

1 → À l'aide d'une éponge et de fard blanc, appliquez une base homogène sur le visage, sauf sur les lèvres et sur les côtés du visage. Le blanc doit être estompé progressivement avec l'éponge. Si nécessaire, insistez avec l'éponge sur la partie des sourcils cachée par le blanc.

Les couleurs utilisées

Colorez à l'éponge les côtés du visage avec ← **2** du fard violet. Choisissez un ton vif et soutenu. Appliquez-le en tapotant l'éponge sur la peau, de l'extérieur du visage vers l'intérieur ; mêlez-le progressivement à la couleur du fond. Au niveau des yeux, amenez le violet jusqu'aux bords externes des paupières.

ASTUCE

S'agissant ici d'un personnage masculin, évitez les couleurs pâles tel le parme, davantage féminin. Ainsi, choisissez plutôt un rouge sombre pour la lèvre.

3 → Avec un pinceau large, dessinez les traits au fard noir. Les sourcils partent de la base de ceux du modèle. Faites le dessin des paupières, du coin interne des yeux vers l'extérieur. Lorsque vous posez le noir sous les yeux, le modèle doit regarder vers le haut. Terminez par le dessin des motifs qui encadrent la bouche.

4
↓ Appliquez un point entre les sourcils avec un pinceau large. La couleur étant bien répartie sur les poils du pinceau, tracez le point en un seul geste. À l'aide d'un pinceau, colorez la lèvre inférieure avec du rouge assombri d'une pointe de noir.

Avant de vous lancer dans ce maquillage de princesse aux tons délicats, pensez à la coiffure de votre modèle... Cette métamorphose sera mise en valeur par des cheveux foncés.

La Chinoise

DIFFICULTÉ

Entraînez-vous sur votre avant-bras à exécuter le dessin du sourcil d'un seul coup de pinceau. Cela vous évitera des corrections délicates !

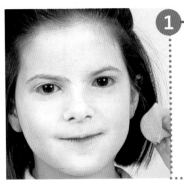

1 → Avec une éponge, appliquez du fard blanc sur tout le visage pour créer l'illusion d'un teint de porcelaine. Veillez à réaliser un teint blanc couvrant et homogène. N'oubliez pas de colorer également les oreilles si elles sont apparentes ! Soignez bien l'estompe sur le pourtour du visage.

Colorez à l'éponge les joues en rose. Tapotez ← **2** doucement et régulièrement la peau de manière à imprimer un voile de couleur. De la même façon, colorez, avec un fard rose fuchsia, le bord externe des paupières en allant légèrement au-delà des sourcils.

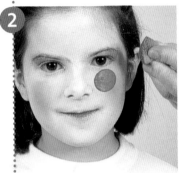

3 → Dessinez les petites pointes dans les coins internes des yeux. Soulignez le côté externe des paupières d'un trait en oblique avec l'arête d'un pinceau large, puis étirez le fard noir sur les paupières. Estompez-le sur la couleur précédente. Avec un pinceau fin, dessinez au fluide noir les lignes des sourcils, au-dessus de ceux déjà existants. Posez le bout du pinceau à l'aplomb de la racine du sourcil et tracez une ligne qui s'achève en une pointe effilée.

ASTUCE

Pour colorer les paupières, il suffit d'appliquer une petite quantité de fard sur une section d'éponge. Cette méthode permet une application nuancée.

4 ↓ Dessinez la bouche avec un pinceau à lèvres et du fard rouge enrichi d'une touche de violet pour lui donner davantage d'intensité. Commencez par la lèvre supérieure. Pour la lèvre inférieure, appliquez d'abord du fard blanc aux commissures, puis faites-la gagner en épaisseur au milieu.

Les couleurs utilisées

Quelle petite fille n'a pas rêvé de devenir une princesse ? Grâce au maquillage et à des paillettes pour briller de mille feux, son souhait sera exaucé !

La princesse

DIFFICULTÉ

Exécuter un travail fin, tout en nuances, constitue la principale difficulté de ce maquillage. Choisissez des couleurs douces, en harmonie avec le teint, la couleur des yeux et des cheveux de votre modèle.

1 → Colorez les paupières en rose. Posez la couleur avec le bout d'un pinceau large sur la partie externe des paupières, puis étirez-la en allant vers le centre du visage. Appliquez cette même teinte sur les pommettes en tapotant avec une éponge. Ces deux opérations nécessitent peu de couleur.

2 → Placez les motifs au milieu du front, près des sourcils, aux coins externes des yeux et sur les joues. Exécutez-les en violet avec un pinceau fin. Les motifs vont en s'affinant, de l'extérieur du visage vers l'intérieur.

3 → Rehaussez les motifs avec du blanc. Pour obtenir un bel éclat, rechargez votre pinceau à chaque trait. La couleur doit être bien fluide sur le pinceau afin de pouvoir réaliser les motifs d'un seul jet.

Avec un pinceau à lèvres, colorez ← **4** la bouche en rose fuchsia. Soignez bien le contour des lèvres. Enfin, du bout du doigt, posez quelques paillettes sur le haut des paupières et les pommettes. (Elles ne sont pas visibles sur la photo afin de favoriser la lisibilité du maquillage.)

ASTUCE

Afin de réaliser des motifs bien symétriques, appliquez-les d'abord sur un côté du visage, puis sur l'autre, en faisant face à votre modèle.

Les couleurs utilisées

1 → Avec une éponge peu chargée en fard blanc, colorez tout le visage, sauf les lèvres. Procédez par petits mouvements circulaires, en allant du front vers le bas du visage. N'oubliez pas d'éclaircir également les oreilles.

Personnage merveilleux, dont les qualités spirituelles sont représentées par une pierre sur le milieu du front, dans l'axe du nez.

Colorez le tour du visage avec un fard ← **2** bleu très pâle. Appliquez la couleur sur l'éponge et tapotez-la sur le bord du visage, du haut du front jusqu'au bas des joues. Pour la partie externe des paupières, utilisez le bord de l'éponge.

3 → Avec un pinceau large, redessinez les sourcils en bleu moyen, en les affinant. Marquez le contour des yeux avec l'arête du pinceau. Colorez les paupières en posant le pinceau sur le bord externe, puis étirez la couleur vers l'intérieur, à mi-hauteur des paupières.

ASTUCE

Pour illuminer le teint de cet être astral, à défaut de *star powder*, vous pouvez saupoudrer légèrement le visage de quelques paillettes de couleur blanche.

À l'aide d'un pinceau à lèvres, colorez ← **4** la bouche avec ce même ton. Soignez bien le dessin de son contour afin de la mettre en valeur. Pour finir, avec un pinceau à poudre, appliquez sur tout le visage de la *star powder extra bright* (blanche). Elle donne un bel effet nacré sur le fond bleuté. Avec de la colle à faux cils, collez un strass sur le front, dans l'axe du nez.

Les couleurs utilisées

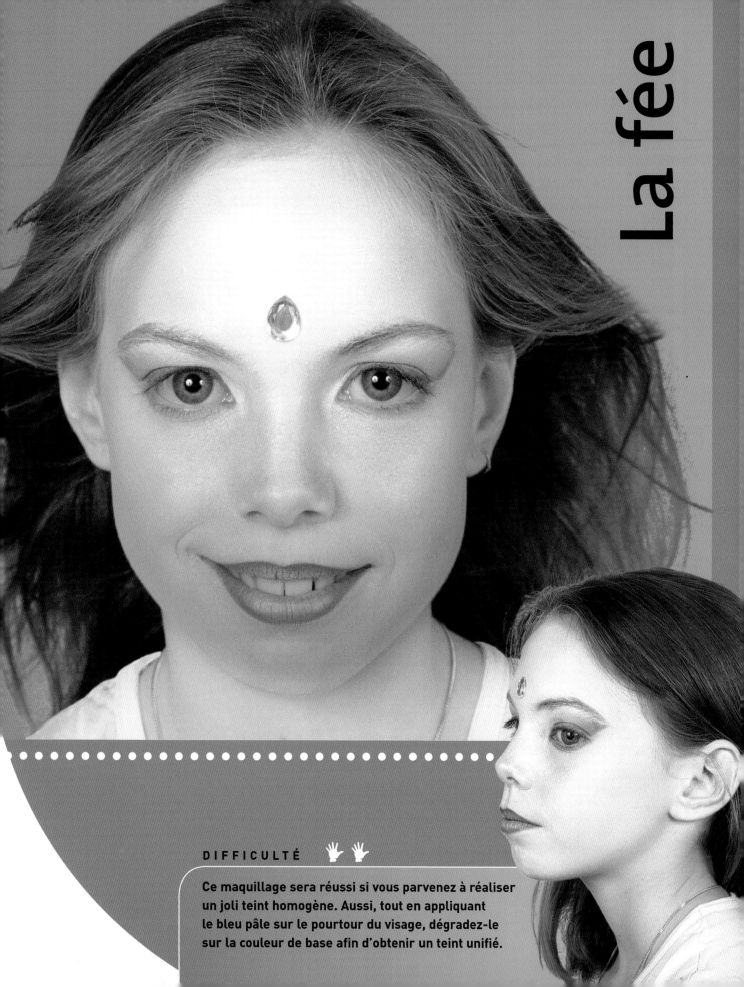

La fée

DIFFICULTÉ

Ce maquillage sera réussi si vous parvenez à réaliser un joli teint homogène. Aussi, tout en appliquant le bleu pâle sur le pourtour du visage, dégradez-le sur la couleur de base afin d'obtenir un teint unifié.

La reine du printemps

Les motifs floraux permettent de jouer avec une infinie variété de formes. Quant au choix des couleurs, soyez à l'écoute de votre modèle.

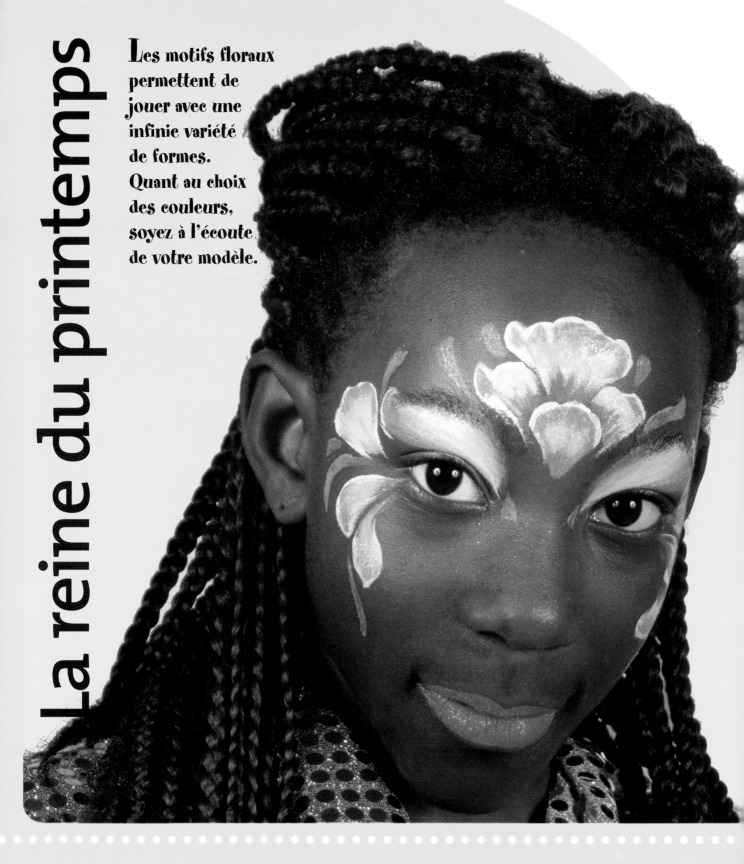

DIFFICULTÉ

Recherchez un effet de symétrie principalement sur la partie centrale du visage, le front et les paupières. Pour le reste — les tempes —, l'asymétrie confère du mouvement à l'ensemble.

1 Avec un pinceau large, dessinez au fard blanc les motifs figurant les pétales sur les paupières, le front, les tempes et les pommettes. Posez le pinceau à plat, ou de trois quarts, sur la peau, puis faites-le pivoter progressivement sur l'arête.

Les couleurs utilisées

○ ○ ● ●

Avec un pinceau large, reprenez les motifs et colorez-les en partie en jaune. Prenez soin de conserver un liseré blanc en bordure de chaque pétale. Réservez également du blanc sur la partie centrale des paupières. **2**

ASTUCE

Afin de conserver à chaque couleur son éclat, appliquez une couleur sur la précédente d'un seul coup de pinceau, de façon à ne pas les mélanger. L'intensité lumineuse est ici obtenue par l'adjonction de jaune et de rose « fluos ».

3 Toujours avec un pinceau large, appliquez du fard rose sur les pétales, en bordure du jaune. Procédez successivement avec le bout du pinceau puis son arête. Ne recouvrez pas totalement les couleurs précédentes. Colorez les lèvres avec ce même rose.

4 À l'aide d'un pinceau fin, placez des petites touches de fard vert vif sur le front et les joues pour figurer les feuilles et les tiges. Elles viennent parfaire la composition en créant un lien entre les motifs. De plus, cette couleur apporte un contraste nécessaire à l'ensemble de la composition.

1 → Avec un pinceau large, délimitez en jaune le contour de la lune. Indiquez aussi le contour de l'œil et des lèvres au pinceau. Colorez ensuite le volume du croissant de lune à l'aide d'une éponge teintée de cette même couleur

Avec un pinceau large, suivez le contour de la lune avec du bleu foncé. Indiquez bien le relief de la bouche de la lune. Colorez le reste du visage avec une éponge sans oublier les oreilles si elles sont dégagées ou si le modèle a les cheveux foncés. ← **2**

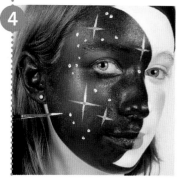

3 → À l'aide d'un pinceau large, peignez les lèvres de la lune en rose. Avec une éponge, tapotez un peu de rose sur la pommette. Avec le même pinceau, appliquez également du rose sur le bord externe de la paupière et dégradez la couleur par un mouvement de balayage, en allant vers le coin interne de l'œil.

Avec un pinceau fin, parsemez le fond bleu de la nuit d'étoiles et de points réalisés au fluide blanc. Ajoutez quelques touches de couleur au centre des étoiles. ← **4**

Ce maquillage plutôt féminin convient également à un garçon. Cependant, pour un garçon, utilisez plutôt un fard ocre que du rose sur la paupière, la joue et la bouche.

ASTUCE

Pour parfaire ce tableau et lui donner l'éclat d'une nuit étoilée, saupoudrez le visage de paillettes, or pour la lune et argent pour la nuit, voire même multicolores.

Les couleurs utilisées

La lune

Pour dessiner les étoiles, assurez votre geste
en posant un doigt en appui sur la peau. Trempez
le pinceau dans la couleur avant chaque coup
de pinceau pour donner un bel éclat aux étoiles.

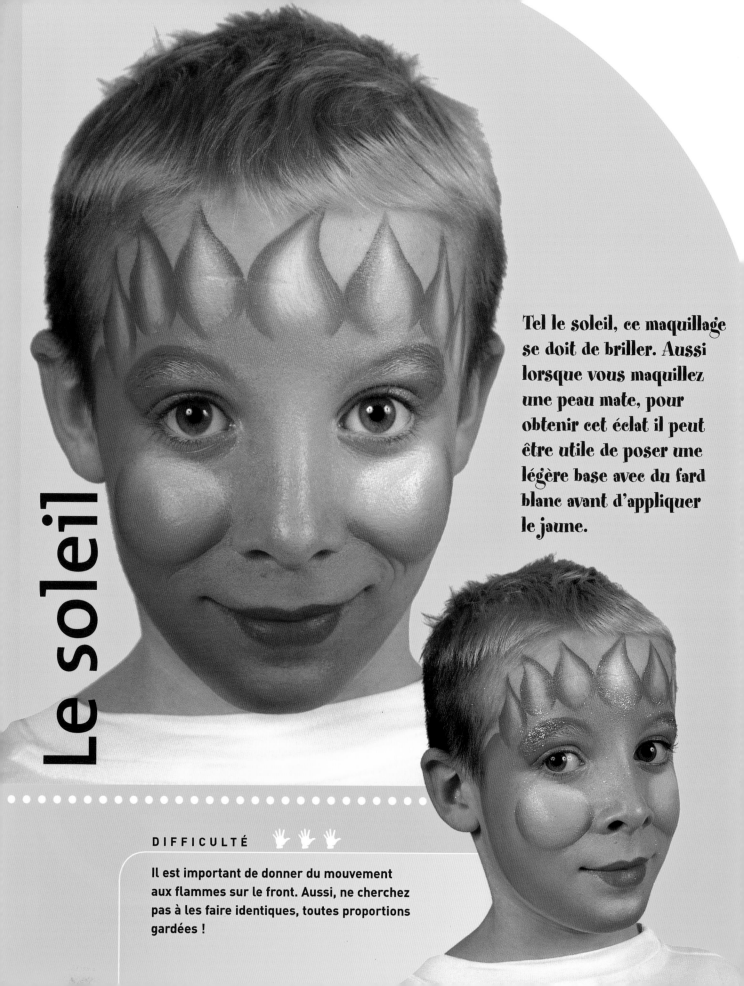

Le soleil

Tel le soleil, ce maquillage se doit de briller. Aussi lorsque vous maquillez une peau mate, pour obtenir cet éclat il peut être utile de poser une légère base avec du fard blanc avant d'appliquer le jaune.

DIFFICULTÉ

Il est important de donner du mouvement aux flammes sur le front. Aussi, ne cherchez pas à les faire identiques, toutes proportions gardées !

Commencez par dessiner les flammes
jaunes du front au pinceau. Avec une éponge,
appliquez le fard jaune sur tout le visage,
de manière homogène, sans oublier
les commissures des lèvres, pour rétrécir
la bouche.

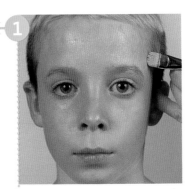

Les couleurs utilisées

ASTUCE

Pour parfaire l'impression de rondeur
des joues, appliquez, avec un pinceau
large, une touche de blanc sur le haut
des pommettes, puis estompez
cette couleur sur le fond jaune.

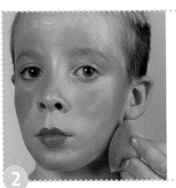

2
Avec un pinceau à lèvres, redessinez une belle bouche
pulpeuse et colorez-la en rouge intense. Avec une éponge,
appliquez un fard orange lumineux sur les joues et sur
les parties externes des paupières. Colorez également
le front et le pourtour du masque ; tapotez doucement
la couleur sur celle du fond.

Avec un rouge intense, délimitez, à l'aide
d'un pinceau large, le contour des flammes,
puis tracez les sourcils et les bords externes
des paupières. Colorez les paupières mobiles.
Cernez le bas des pommettes. Estompez
la couleurdes pommettes de façon à créer un dégradé
allant du rouge intense à l'orangé clair.

Zorro

Voici un bon
exercice pour
une approche
de la symétrie.
Ce masque étant
destiné aux jeunes
enfants, le contour
des yeux est évité
volontairement.

DIFFICULTÉ

Adaptez le tracé en courbe du bas du masque aux traits du visage
de votre modèle, tout en conservant une ligne bien dessinée.
Il en est de même pour la moustache.

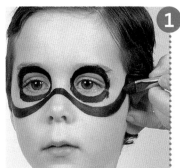

1 → Pour indiquer les espaces figurant les trous pour la vue, tracez en noir avec un pinceau large des lignes circulaires autour des yeux, à mi-hauteur des paupières supérieures. Délimitez ensuite le bord inférieur du masque, à mi-hauteur du nez et des joues.

Les couleurs utilisées
●

Avec un pinceau large, colorez en noir l'intérieur du tracé. Répartissez la couleur de façon homogène. Si le modèle a des cheveux châtain foncé, étirez le fard jusqu'à la racine des cheveux pour parfaire l'illusion. ← **2**

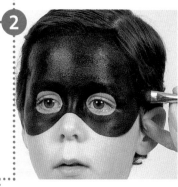

ASTUCE

Harmonisez la teinte de la moustache avec celle des cheveux de votre modèle.

3
↓ Dessinez la moustache à l'aide d'un pinceau à lèvres ou d'un pinceau fin. Partez du centre du visage et allez vers la joue. Laissez un espace entre les deux sections de la moustache. Vous pouvez vous exercer au préalable sur votre avant-bras.

Les peintures faciales des Indiens d'Amérique du Nord étaient d'une grande diversité. Vous aussi faites preuve d'imagination pour ce maquillage trop souvent banalisé !

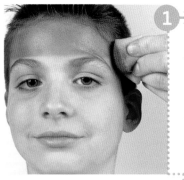

1 ➔ Avec une éponge, appliquez du fard marron sur le front, jusqu'aux sourcils. Étirez la couleur jusqu'à la racine des cheveux. Pour rendre le maquillage plus réaliste, vous pouvez aussi colorer les oreilles avec cette même couleur.

Colorez en rouge, à l'éponge, de manière bien homogène, la partie inférieure du visage, y compris les lèvres. Tout en l'appliquant, estompez la couleur surle pourtour du visage. Laissez sous les yeux un espace de la largeur d'un pinceau, pour la couleur suivante. **2**

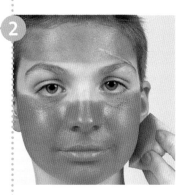

ASTUCE

Si votre modèle a une mèche, il peut être judicieux de la relever et de la fixer avec un gel. Le maquillage gagnera en authenticité.

3 ➔ Dans l'espace réservé, appliquez du fard noir avec un pinceau large. Commencez par la zone située au-dessus des yeux et continuez par le tracé de la ligne inférieure, sous les yeux. Enfin, dessinez des lignes verticales, de la largeur de votre pinceau, de chaque côté du nez et sur les joues, tout en veillant à la symétrie.

Les couleurs utilisées

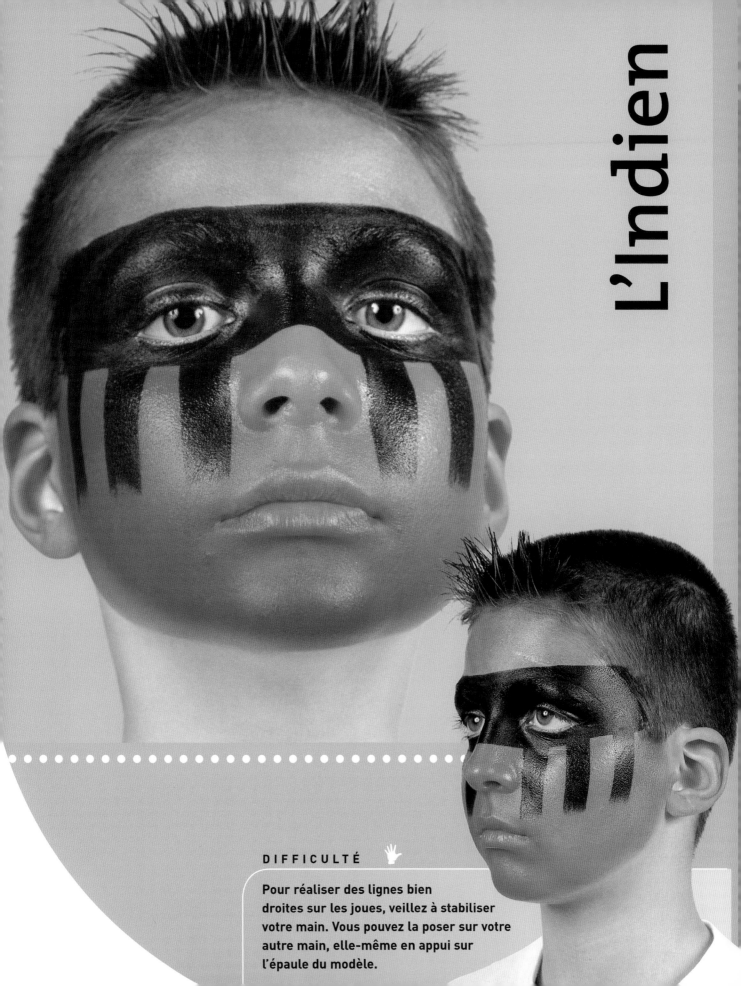

L'Indien

DIFFICULTÉ

Pour réaliser des lignes bien droites sur les joues, veillez à stabiliser votre main. Vous pouvez la poser sur votre autre main, elle-même en appui sur l'épaule du modèle.

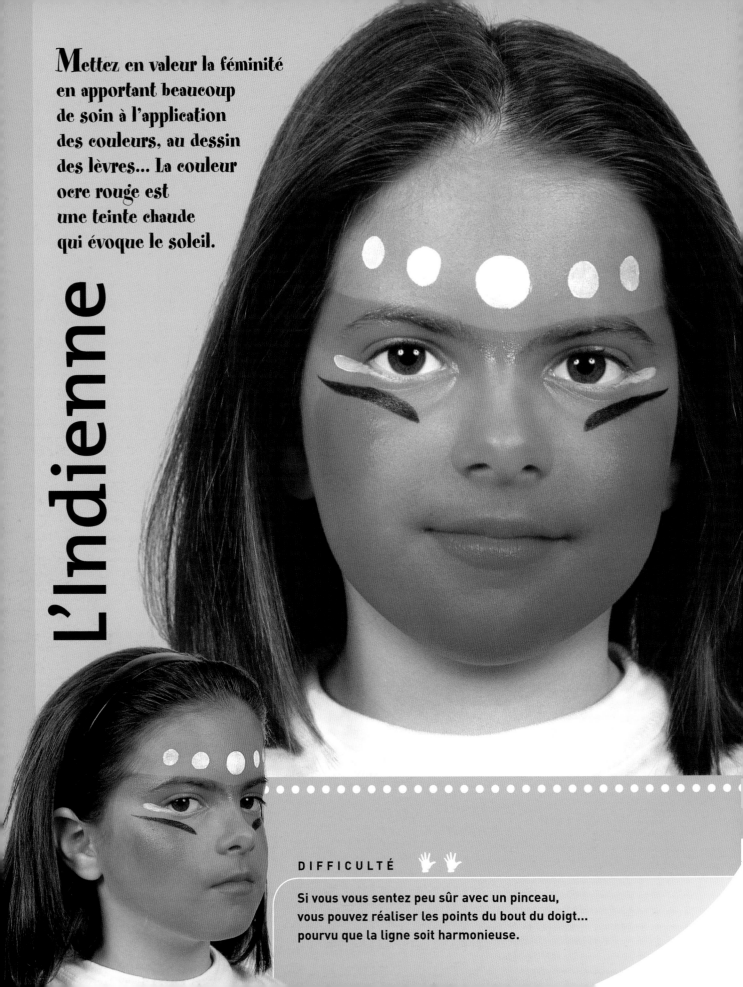

Mettez en valeur la féminité
en apportant beaucoup
de soin à l'application
des couleurs, au dessin
des lèvres... La couleur
ocre rouge est
une teinte chaude
qui évoque le soleil.

L'Indienne

DIFFICULTÉ

Si vous vous sentez peu sûr avec un pinceau,
vous pouvez réaliser les points du bout du doigt...
pourvu que la ligne soit harmonieuse.

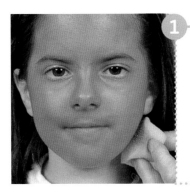

1 → Appliquez à l'éponge, en évitant les paupières, un fard ocre rouge sur l'ensemble du visage de manière à donner l'impression d'un teint de peau. Soignez particulièrement le contour du visage.

Avec un pinceau large, étalez du fard rouge ← 2 à hauteur des paupières, et estompez-le au bas de celles-ci. Colorez les lèvres avec la même teinte. Appliquez le fard sur les pommettes, avec une éponge, en tapotant, de manière à fondre leur contour dans le teint de base. Enfin, esquissez le bord de l'aplat rouge au-dessus des sourcils, sur toute la largeur du visage.

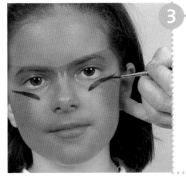

3 → Avec un pinceau fin, dessinez les traits sous les yeux au fluide noir. Posez le bout du pinceau à l'aplomb du coin de la bouche et tracez une ligne qui s'affine vers le haut de la pommette. On obtient cet effet en relâchant progressivement la pression du pinceau sur la peau.

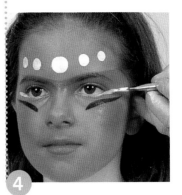

ASTUCE

Si la coiffure du modèle laisse apparaître les oreilles, il est préférable de les colorer également pour obtenir un effet plus réaliste.

4

↓ Placez les points blancs sur le front en commençant par le point central et en terminant par les points externes. Utilisez un pinceau large dont le bout est arrondi. Il vous permet de réaliser chaque point en deux temps sous la forme de deux demi-cercles. Pour finir, marquez les coins externes des yeux d'un trait blanc avec l'arête du pinceau.

Les couleurs utilisées

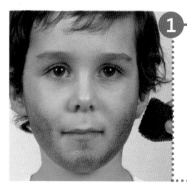

1 → Pour créer un aspect négligé et mal rasé, utilisez une éponge à barbe, outil spécifique pour obtenir cet effet. Tapotez de la couleur sur les joues et le menton pour simuler une jeune barbe : ici, deux nuances de fard brun ont été utilisées.

Avec un pinceau large, indiquez en noir le contour de la partie du bandeau qui cache l'œil. Puis, colorez en noir l'espace autour de l'œil. En utilisant la largeur du pinceau, tracez une diagonale qui part de la base de l'oreille et va jusqu'à la racine des cheveux. ← **2**

3 → Afin de donner du volume et une impression de poils en brousaille, utilisez successivement la partie plate du pinceau et son arête pour dessiner le sourcil et la moustache. Choisissez une teinte proche de celle des cheveux de votre modèle.

Avec l'arête d'un pinceau, appliquez un léger trait de brun sur le bord inférieur de l'œil et dans le cerne, puis estompez-le pour le dégrader. Pour finir, tracez, en utilisant l'arête d'un petit pinceau à lèvres, une cicatrice rouge foncé. ← **4**

Ce maquillage, simple à réaliser, requiert un peu d'imagination. Vous avez sûrement en mémoire la tête d'un flibustier : alors pensez-y pour que ce jeune pirate fasse illusion.

ASTUCE

Veillez à appliquer des couleurs de poils du même ton que la couleur des cheveux du modèle. Votre personnage gagnera ainsi en réalisme.

Les couleurs utilisées

Le pirate

DIFFICULTÉ 🖐 🖐

L'effet d'une jeune barbe est plus nuancé lorsqu'on superpose deux teintes d'un même coloris sur la peau à l'aide de l'éponge.

Le robot

Un remodelage de la coiffure est tout à fait approprié à ce genre de métamorphose, afin de servir au mieux votre création.

DIFFICULTÉ

En balayant le fard gris d'un mouvement régulier le long des lignes blanches, on obtient une belle estompe ainsi que des lignes au tracé rigoureux.

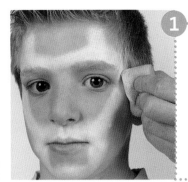

1 → Commencez par situer les lignes de contour des diverses parties du masque. Avec une éponge, ou un pinceau large, appliquez du fard blanc. Le tracé longe la ligne des sourcils, puis descend des tempes vers les coins des lèvres et jusqu'au menton.

Avec une éponge, appliquez du fard argent **2** à l'intérieur des tracés, sauf sur les paupières et la lèvre inférieure. Colorez les oreilles si elles sont apparentes. Utilisez le bord de l'éponge pour marquer les volumes des joues. Pour parfaire le dessin des autres volumes, estompez leurs contours avec un pinceau propre et sec.

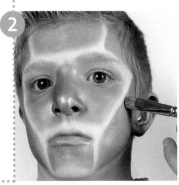

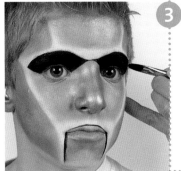

3 → Avec l'arête du pinceau, ou avec un pinceau fin, tracez, au bord de la lèvre supérieure, une ligne noire en arc de cercle. Tracez ensuite les lignes verticales du menton qui partent de chaque extrémité de l'arc de cercle. Avec un pinceau large, colorez la zone des sourcils et des paupières en noir. Attention à l'inclinaison des lignes aux coins des yeux.

ASTUCE

Les fards or et argent, d'un bel éclat, se prêtent parfaitement à la réalisation d'un robot. Mais attention ! Mélangés à d'autres fards non métallisés, ils perdent leur brillance.

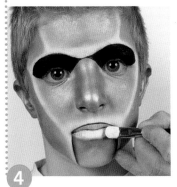

4

↓ Avec un pinceau sec, estompez, vers l'intérieur, les tracés noirs du menton, de façon à donner du relief. Puis colorez la lèvre inférieure au pinceau avec du fard blanc.

Les couleurs utilisées

○ ◐ ●

Chauve-souris

La couleur bleu métallisé utilisée ici peut être remplacée, à défaut, par un fard bleu sur lequel vous saupoudrerez quelques paillettes blanches aux reflets irisés.

DIFFICULTÉ

Des lignes au tracé rigoureux assurent le bel équilibre de ce graphisme. Si vous faites des débords lors de l'application d'une des couleurs, n'hésitez pas à les corriger à l'aide d'un Coton-Tige humide.

1 Avec un pinceau fin, tracez au fluide blanc les lignes de structure du masque. Commencez par indiquer l'axe du visage, à partir de la racine du nez, puis les lignes des sourcils et les verticales en arc de cercle, de chaque côté du visage.

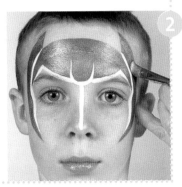

2 Avec un pinceau large, colorez la partie supérieure du masque avec du fluide bleu métallisé. Contournez les tracés en blanc, sans les recouvrir. Procédez lentement jusqu'à l'obtention de beaux tracés arrondis.

3 De la même façon, colorez la partie inférieure du masque avec du fard noir. Soignez le contour des yeux. Lorsque vous peignez leur bord inférieur, le modèle doit regarder vers le haut. Appliquez un noir d'une bonne densité et bien homogène.

Estompez partiellement les tracés blancs avec un pinceau de taille moyenne, propre et sec. Balayez doucement l'arête du pinceau sur ces traits. N'oubliez pas l'estompe de la ligne située dans l'axe du visage. **4**

ASTUCE

Le fard blanc, utilisé pour tracer les lignes de structure d'un masque et appliqué en fine couche, a l'avantage de pouvoir s'effacer et se recouvrir facilement.

Les couleurs utilisées

1 → À l'aide d'un pinceau large, réalisez des aplats noirs au-dessus des yeux. Tracez-les progressivement, jusqu'à l'obtention de la forme souhaitée. Soulignez d'un trait le bord inférieur des yeux et faites-le rejoindre le dessin du bord supérieur.

Toujours au pinceau, bordez de rouge les dessins réalisés en noir. Puis indiquez les contours inférieurs du masque : à partir de l'arête du nez, tracez quatre arcs de cercle de chaque côté du visage. ← **2**

3 → Une fois les lignes de contour réalisées, avec une éponge, appliquez du rouge à l'intérieur du tracé obtenu. Répartissez la couleur de manière homogène, jusqu'à la racine des cheveux.

Avec un pinceau fin, tracez les lignes verticales de la toile au fluide noir. Commencez par la ligne située au centre du visage. Poursuivez en faisant toujours partir vos lignes des yeux. ← **4**

5 → Tracez les lignes horizontales de la toile, en arcs de cercle. Elles prennent leur départ sur la ligne médiane du visage et au niveau des yeux. Les tracés des premiers fils vont déterminer ceux des suivants.

Il s'agit d'une création inspirée par le héros de bandes dessinées que son costume recouvre entièrement, comme une seconde peau...

ASTUCE

Pour obtenir une belle symétrie, tracez immédiatement le fil opposé de l'autre coté du visage. Prenez des points de repère, tels que les coins des yeux, pour réaliser votre toile.

Les couleurs utilisées

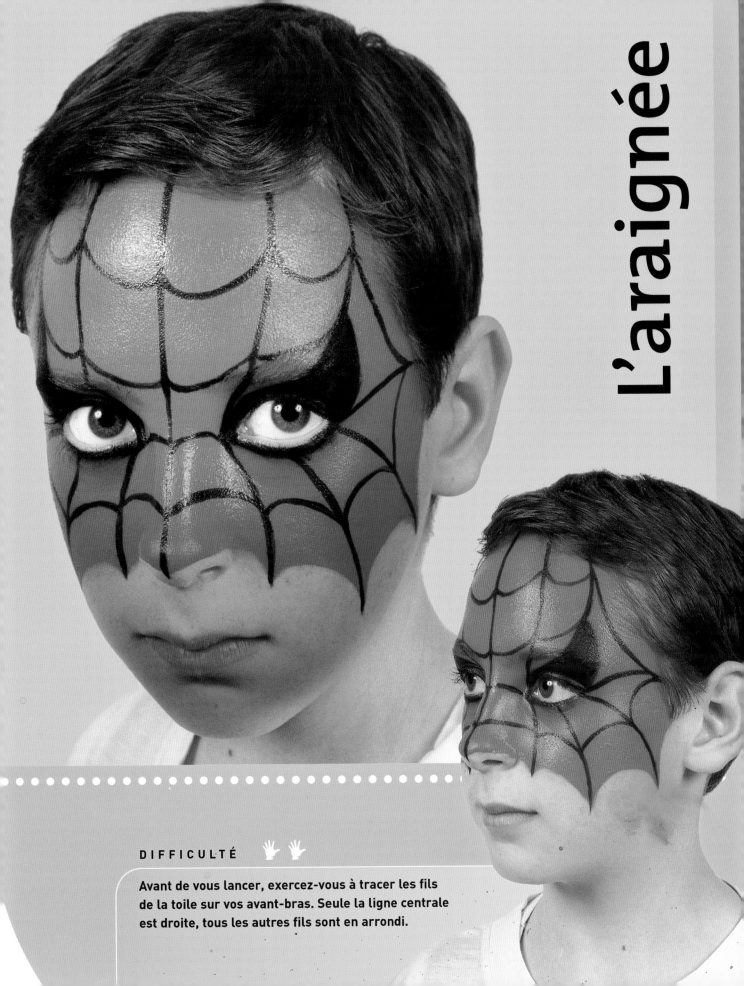

L'araignée

DIFFICULTÉ 🖐 🖐

Avant de vous lancer, exercez-vous à tracer les fils
de la toile sur vos avant-bras. Seule la ligne centrale
est droite, tous les autres fils sont en arrondi.

Le vampire

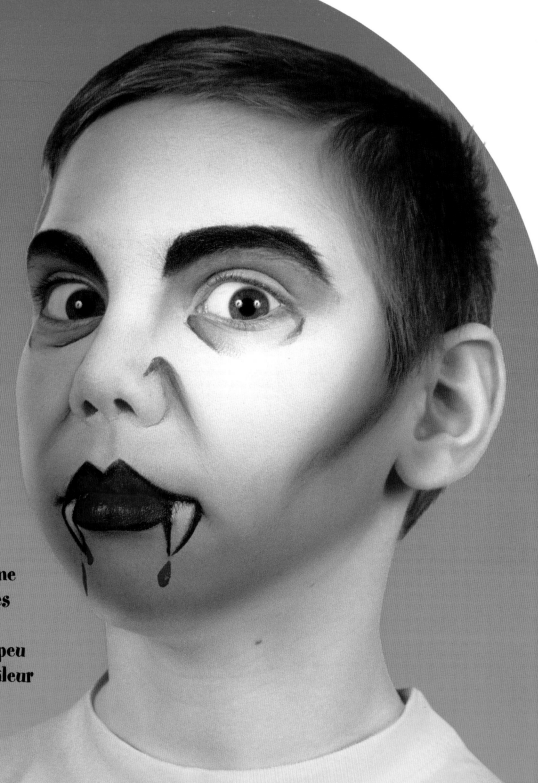

Les traits de ce jeune vampire sont creusés et durcis à dessein afin de le veillir un peu et de renforcer la pâleur de son visage.

DIFFICULTÉ

Utilisez le noir à la fois avec force (pour les sourcils) et avec modération pour éviter de sombrer dans la caricature.

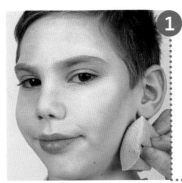

1 → Avec une éponge, appliquez un fond blanc peu couvrant sur le visage, sauf sur les lèvres. Couvrez les paupières d'un léger voile blanc et indiquez déjà le creux des joues. Estompez la couleur sur le pourtour du visage. Colorez les oreilles avec le fard qui reste sur l'éponge.

Avec un pinceau de taille moyenne, ← **2** dessinez en noir les traits du personnage. Commencez par les sourcils en les traçant progressivement. Continuez par les cernes, puis les sillons du nez. Délimitez le contour des dents et des lèvres. Marquez le creux des joues.

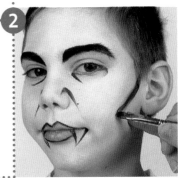

ASTUCE

Estompez les traits du personnage aussitôt après les avoir tracés, avant que la couleur sèche. Adaptez la forme des sourcils au visage de votre modèle.

3 → Avec un pinceau propre, estompez les traits des sillons du nez et des cernes. Avec ce même pinceau teinté de gris, balayez les paupières pour les assombrir. Estompez les tracés marquant le creux des joues. La couleur ainsi dégradée va créer le modelé des pommettes.

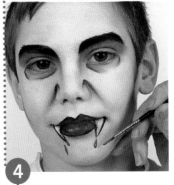

4 ↓ Colorez les lèvres au pinceau fin avec un fard rouge sombre, puis appliquez du blanc sur les dents du vampire. Avec un pinceau fin, ajoutez quelques gouttes de fluide rouge vers la pointe des dents.

La citrouille

Si vous avez plusieurs personnes à maquiller en citrouille, vous pouvez changer la forme de la bouche et des yeux : ronds, triangulaires...

DIFFICULTÉ 🖐 🖐 🖐 🖐

Si vous avez peu de temps ou si vous ne vous sentez pas assez sûr de vous, vous pouvez vous épargner une difficulté en supprimant les contours blancs.

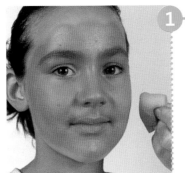

1 → Commencez par indiquer le contour du masque avec une couleur orangée. Utilisez le bord arrondi d'une éponge ou un pinceau. Puis appliquez la couleur sur tout le visage, y compris les lèvres, mais en évitant le pourtour des yeux.

Appliquez du rouge vif sur les joues en tapotant doucement la couleur sur la peau avec une éponge de manière à estomper la limite entre les deux couleurs. Ces belles pommettes donnent bonne mine et accentuent la rondeur de la citrouille. ← **2**

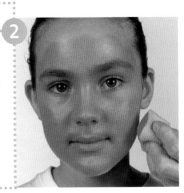

3 → Avec un pinceau large, tracez en noir les quartiers de la citrouille en progressant du centre du visage vers l'extérieur. Tracez en noir les yeux, le nez, la bouche ainsi que la tige et les feuilles. Puis, avec un pinceau sec, estompez les tracés.

ASTUCE

Lorsque vous réalisez ce masque pour un petit enfant, vous pouvez substituer la couleur marron au noir pour délimiter les quartiers de citrouille, cela rendra ce maquillage moins dur.

4

↓ Pour augmenter l'impression de relief, avec un pinceau, surlignez le contour du masque en blanc ; surlignez également la tige et les feuilles. De la même manière, marquez le contour des yeux de la citrouille et le bord inférieur de sa lèvre, puis estompez vers l'extérieur du visage.

Les couleurs utilisées

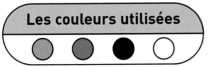

1 → Avec une éponge, appliquez un fond vert uniforme sur tout le visage, en procédant du haut vers le bas. Colorez aussi les oreilles. Tapotez l'éponge sur la peau d'un geste régulier. Estompez le fard sur le contour du visage.

Ce maquillage, destiné à enlaidir, reprend en partie le graphisme du vieillissement. Vous pouvez assombrir davantage le regard en cernant les yeux de noir.

Avec un pinceau large, placez les verrues, **2** ← puis posez les traits d'expression de la sorcière en vert foncé. Commencez par le dessin des sourcils, les cernes et les sillons du nez, puis les lignes marquant les creux des tempes et des joues.

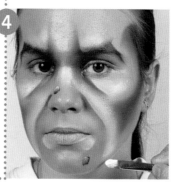

3 → Avec un pinceau sec, estompez en partie les tracés. Aux coins internes des yeux, la couleur est estompée à la fois vers les paupières et vers la racine du nez. L'estompe des sillons du nez se fait vers l'intérieur du visage.

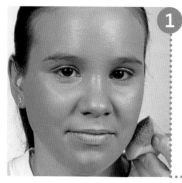

Avec une éponge, appliquez des **4** ← touches de fard blanc, tout en les estompant, sur l'espace intersourcilier, au-dessus des sourcils, sur l'arête du nez, au bord des cernes, sur les pommettes, le long des sillons du nez, aux coins de la lèvre inférieure et sur les verrues.

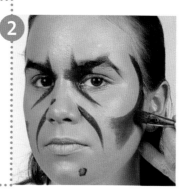

ASTUCE

Utilisez le jeu des ombres portées sur le visage de votre modèle pour creuser ses traits de façon réaliste. Redessinez-les à la façon d'un caricaturiste.

5 → Avec un pinceau de taille moyenne, reprenez en noir les traits des cernes et des sillons du nez afin de les creuser davantage. Puis, avec l'arête du pinceau, tracez les poils des sourcils en oblique. Colorez le bord des narines. Enfin, redessinez une lèvre supérieure pointue et prolongez ses lignes descendantes.

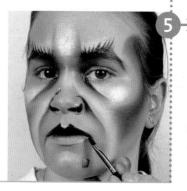

Les couleurs utilisées

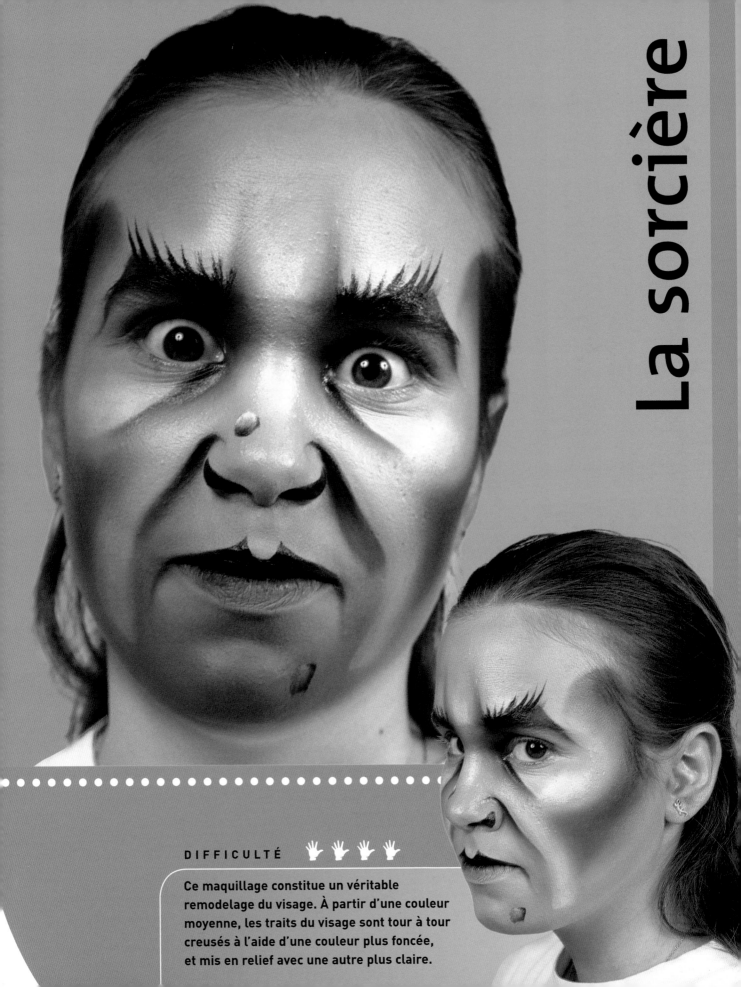

La sorcière

DIFFICULTÉ 🖐🖐🖐

Ce maquillage constitue un véritable remodelage du visage. À partir d'une couleur moyenne, les traits du visage sont tour à tour creusés à l'aide d'une couleur plus foncée, et mis en relief avec une autre plus claire.

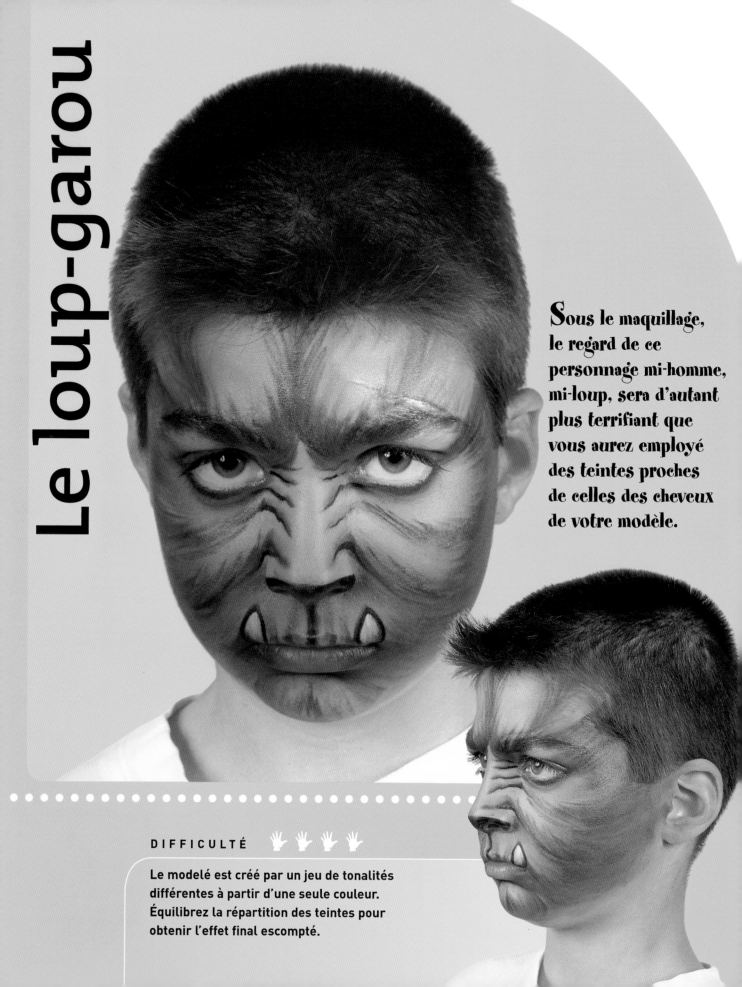

Le loup-garou

Sous le maquillage, le regard de ce personnage mi-homme, mi-loup, sera d'autant plus terrifiant que vous aurez employé des teintes proches de celles des cheveux de votre modèle.

DIFFICULTÉ

Le modelé est créé par un jeu de tonalités différentes à partir d'une seule couleur. Équilibrez la répartition des teintes pour obtenir l'effet final escompté.

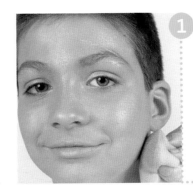

1 → Avec une éponge, appliquez du fard ocre jaune sur tout le visage. Pour donner plus de réalisme au personnage, estompez la couleur jusqu'à la racine des cheveux. Colorez le contour des yeux sans excès de matière.

Les couleurs utilisées

ASTUCE

Les lignes en trame de ce maquillage ne sont pas situées au hasard. Pour réaliser un dessin tel que celui-ci, prenez des points de repère sur le visage, comme les sourcils, les yeux, les ailes du nez, le coin des lèvres.

Avec un pinceau large, esquissez ← **2** les traits de structure en sépia. Commencez par ceux qui partent de dessous les sourcils et vont sur le front. Colorez le pourtour du visage, depuis les tempes, et étirez la couleur vers l'intérieur du visage.

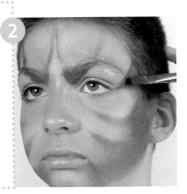

3 → Figurez les poils de la bête avec du fard brun. Revenez sur les tracés précédents en esquissant des petits traits avec l'arête du pinceau, de l'extérieur vers l'intérieur du visage, sauf pour les poils du front qui vont en sens inverse.

Avec le même pinceau, colorez le contour ← **4** des yeux. Puis, avec un pinceau à lèvres, tracez en brun les sillons en oblique de chaque côté du nez, de la base des sourcils aux ailes du nez. Réalisez ensuite le dessin de la lèvre supérieure, toujours avec cette même couleur.

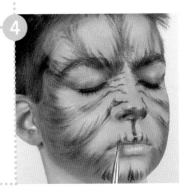

5 → Utilisez la même couleur et un pinceau fin pour tracer les crocs aux commissures des lèvres. Colorez-les en blanc. Ombrez le dessous de la lèvre inférieure pour la mettre en relief. Reprenez quelques traits au fluide noir pour les renforcer, en particulier les sillons du nez, le bout du nez et le contour des crocs.

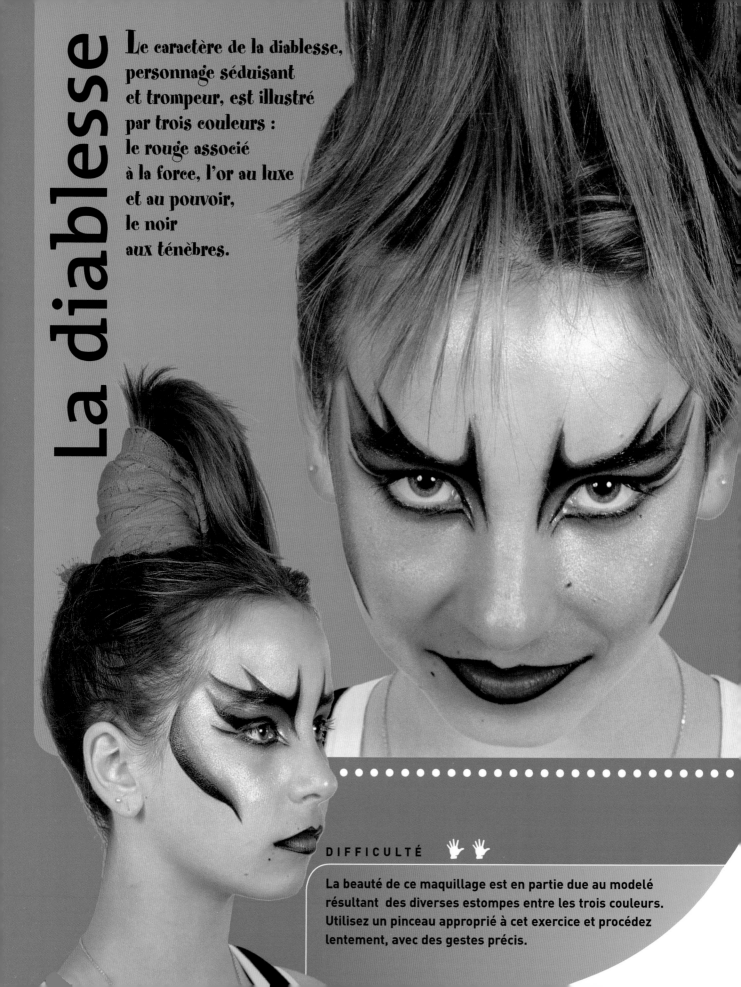

La diablesse

Le caractère de la diablesse, personnage séduisant et trompeur, est illustré par trois couleurs : le rouge associé à la force, l'or au luxe et au pouvoir, le noir aux ténèbres.

DIFFICULTÉ

La beauté de ce maquillage est en partie due au modelé résultant des diverses estompes entre les trois couleurs. Utilisez un pinceau approprié à cet exercice et procédez lentement, avec des gestes précis.

1 → Indiquez les traits du personnage avec du fard rouge. Un pinceau large permet de varier la largeur des traits selon que l'on utilise l'arête ou le plat du pinceau. Dessinez ainsi les sourcils et les paupières. Colorez les lèvres. Tracez les lignes des bords inférieurs des yeux puis des pommettes.

Toujours avec le pinceau, reprenez partiellement **2** ← le dessin des sourcils en noir. Surlignez la partie externe des lignes des sourcils qui sont sur le front. Colorez les paupières mobiles en soulignant le dessin existant. Surlignez les bords inférieurs des yeux et les pommettes. Avec l'arête du pinceau, dessinez le contour des lèvres.

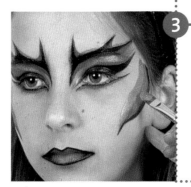

3 → Avec l'arête du pinceau ou avec un pinceau fin, bordez de fard or les contours noirs des sourcils. Avec un pinceau large, marquez les paupières et le haut du dessin des pommettes.

Créez un joli modelé sur les paupières et **4** ← les pommettes en estompant la démarcation entre les couleurs. Avec un pinceau de taille moyenne, estompez d'abord la limite entre l'or et le rouge puis, avec un autre pinceau, la limite entre le rouge et le noir sur le bord inférieur des sourcils, sous les yeux, sur les pommettes et enfin sur les lèvres.

ASTUCE

Mettez un peu de *star powder* sur le bout d'un pinceau et répartissez-la sur celui-ci en le tapotant dans le creux de la main avant de l'appliquer sur le visage de votre modèle.

5 → Pour parfaire l'illusion, embellissez le teint de votre diablesse avec de la *star powder*.

Les couleurs utilisées

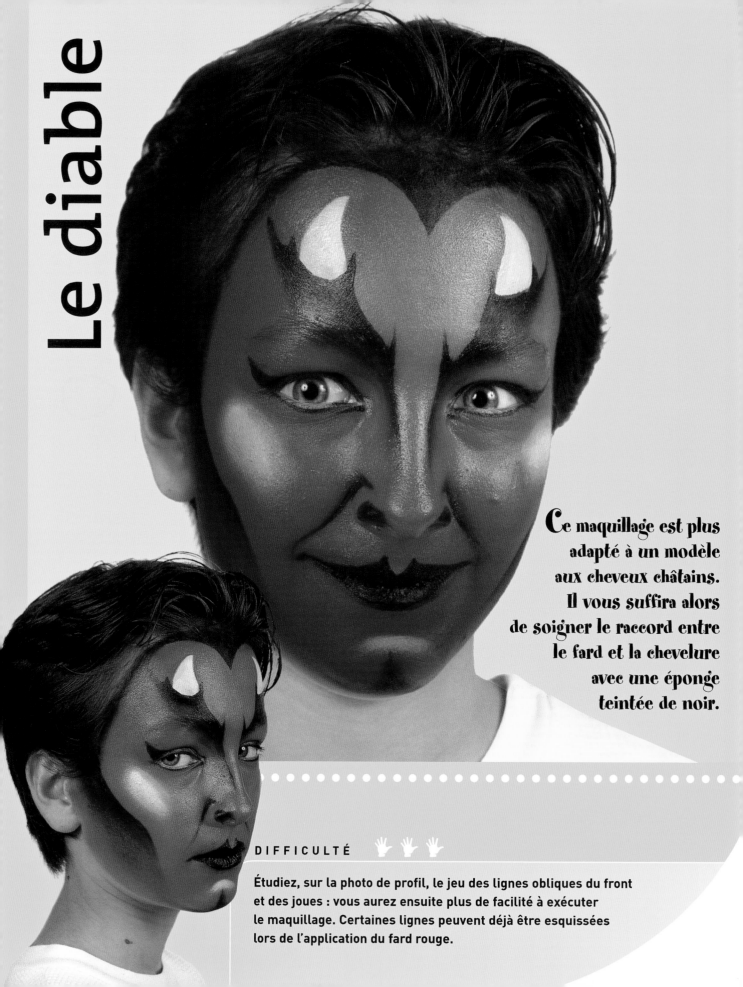

Le diable

Ce maquillage est plus adapté à un modèle aux cheveux châtains. Il vous suffira alors de soigner le raccord entre le fard et la chevelure avec une éponge teintée de noir.

DIFFICULTÉ

Étudiez, sur la photo de profil, le jeu des lignes obliques du front et des joues : vous aurez ensuite plus de facilité à exécuter le maquillage. Certaines lignes peuvent déjà être esquissées lors de l'application du fard rouge.

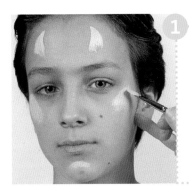

1 → Avec un pinceau large, dessinez des cornes jaunes sur le front. Prenez la pupille comme repère. Puis appliquez du jaune sur les parties les plus saillantes du menton et des pommettes.

Appliquez du rouge à l'éponge sur le visage, en évitant les lèvres. Tapotez délicatement une petite section de l'éponge autour du jaune, sur les pommettes et le menton, pour faire le raccord entre les deux couleurs. Reprenez au pinceau le contour des cornes. **2**

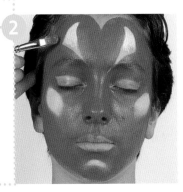

3 → Tracez en noir, avec un pinceau large, les traits du personnage, du haut du visage vers le bas. Dessinez les lignes obliques des sourcils au départ de la racine du nez. Les lignes du creux des joues amorcent une courbe à l'aplomb du coin externe des yeux et s'achèvent, effilées, vers la pointe du menton.

ASTUCE

Vous pouvez tracer tous les traits de ce masque avec un pinceau large : pour moduler la largeur du trait, faites pivoter le pinceau entre vos doigts.

4

↓ Avec un pinceau à lèvres, redessinez les lèvres en noir. À l'aide d'un pinceau propre et sec, estompez les lignes des sourcils, du creux des joues et des plis du nez. Les dégradés obtenus favorisent l'effet de relief, notamment du nez et des pommettes.

Les couleurs utilisées

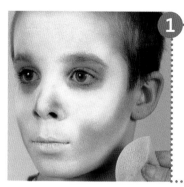

1 → Avec une éponge, appliquez du fard blanc sur le visage en évitant les zones qui seront peintes en noir (orbites, ailes du nez et creux des mâchoires). Tapotez l'éponge de façon régulière sur la peau.

Avec un pinceau large, marquez en noir les parties en creux du squelette. Délimitez le contour des orbites, puis tracez les trous du nez, de bas en haut. La ligne des joues part du haut de l'oreille, à la racine des cheveux, et s'arrête à la commissure des lèvres. ← **2**

Ce maquillage, qui offre une vision du squelette, constitue un bon exercice pour l'étude de la morphologie du visage.

3 → Avec un pinceau large, colorez en noir l'intérieur des orbites. Avec une éponge, appliquez du noir sur les oreilles, puis étirez la couleur sur les joues, vers les mâchoires inférieures. Enfin, tapotez l'éponge sur les tempes pour en marquez les creux.

Avec un pinceau fin, dessinez les dents au fluide noir ; allez de la ligne médiane des lèvres vers les bords externes de celles-ci. Esquissez les lignes sinueuses figurant la délimitation des os du squelette. ← **4**

ASTUCE

La symétrie n'est pas rigoureuse. Toutefois, afin d'obtenir une harmonie d'ensemble, gardez l'habitude d'exécuter vos tracés sur un côté du visage puis sur l'autre.

5 → Avec un pinceau à lèvres peu chargé de fard noir, soulignez la présence des dents. Appliquez le bout du pinceau sur la peau, puis étirez la couleur vers la bouche.

Les couleurs utilisées

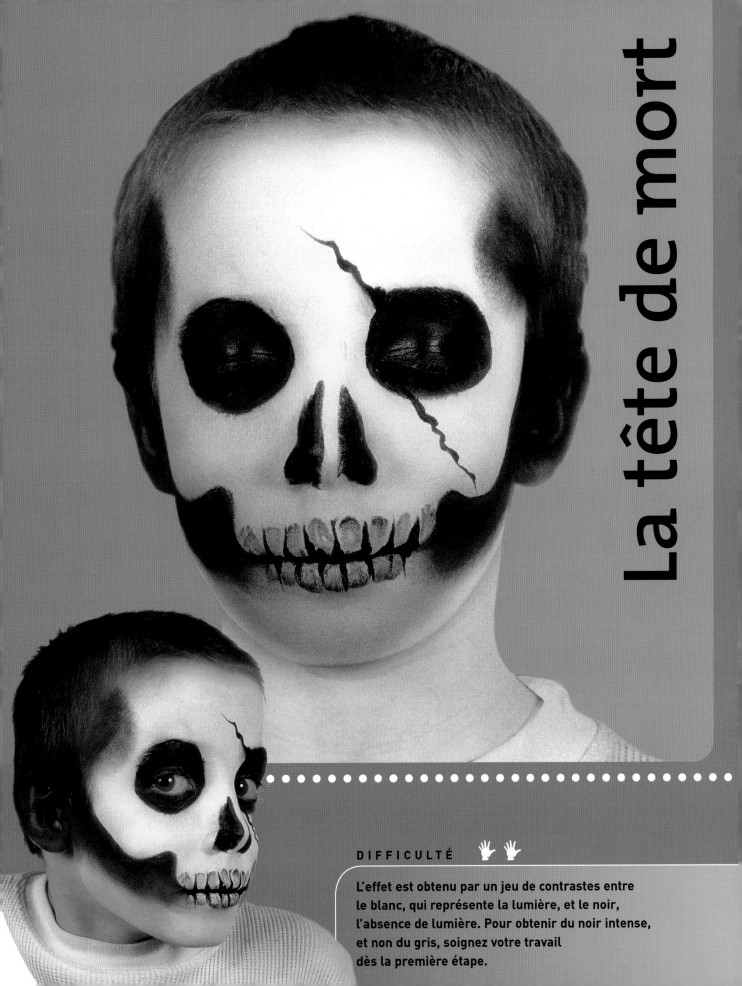

La tête de mort

L'effet est obtenu par un jeu de contrastes entre
le blanc, qui représente la lumière, et le noir,
l'absence de lumière. Pour obtenir du noir intense,
et non du gris, soignez votre travail
dès la première étape.

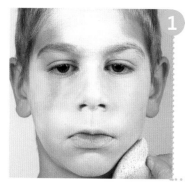

1 → Avec une éponge, colorez le visage en blanc. Pour obtenir un teint bien homogène, tapotez l'éponge enduite de fard sur le dos de votre main avant de l'appliquer sur le visage. Évitez de colorer les zones que vous allez peindre en rouge, sinon vous risqueriez d'obtenir ensuite une couleur virant au rose.

Avec un pinceau fin, dessinez en noir des traits discontinus donnant un effet de craquelure autour de l'œil. Posez du noir sur le bord des narines pour les élargir. Colorez la lèvre inférieure, puis tracez les lignes des fissures tout autour. ← **2**

Cette métamorphose, un peu effrayante, ne convient pas à un enfant trop jeune. Et quel que soit l'âge du modèle, avertissez-le du résultat final.

3 → Posez du noir avec un pinceau au coin interne de l'œil, puis étirez le fard le long du nez. Soulignez la ligne des cils inférieurs et dessinez les traits des cernes, à partir du coin de l'œil. Marquez les plis du nez. Avec un pinceau propre, estompez les tracés. Exécutez le dessin des tempes et de la joue de manière à donner un effet de craquelure, comme dans l'étape précédente.

ASTUCE

Lorsque vous appliquez le fond blanc et que vous envisagez la place des zones en creux, pensez à les répartir en divers endroits du visage.

Appliquez du fard rouge au pinceau sur les parties du visage préalablement délimitées en noir et non colorées. Estompez au pinceau la limite entre le rouge et le noir pour parfaire l'effet de profondeur des déchirures. ← **4**

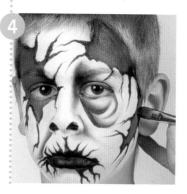

Les couleurs utilisées

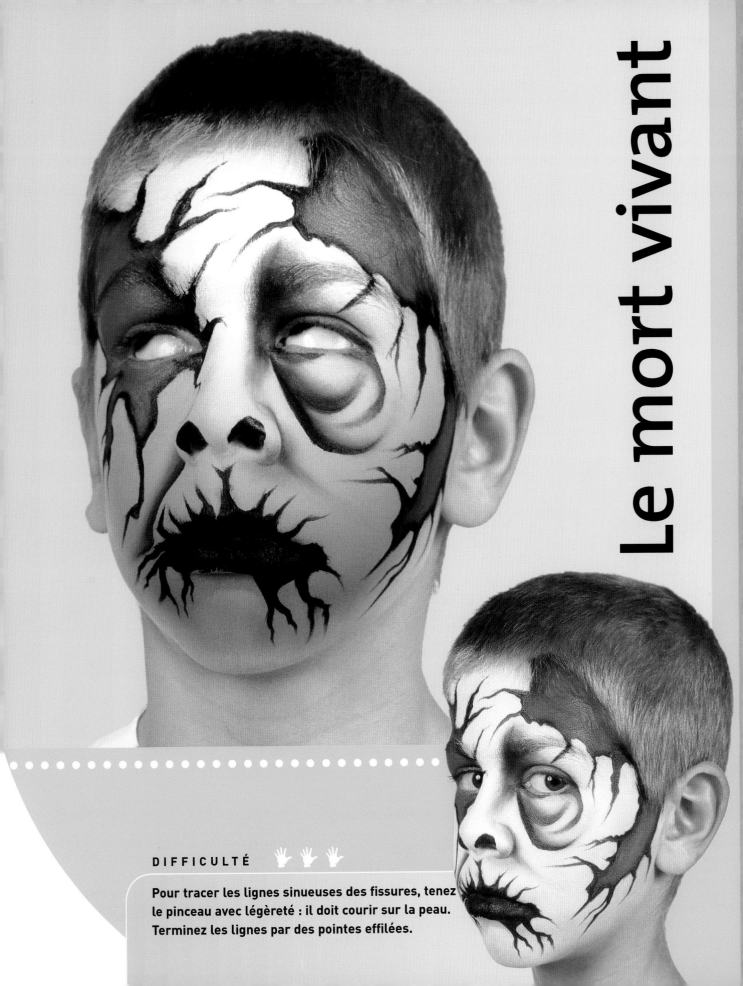

Le mort vivant

DIFFICULTÉ

Pour tracer les lignes sinueuses des fissures, tenez
le pinceau avec légèreté : il doit courir sur la peau.
Terminez les lignes par des pointes effilées.

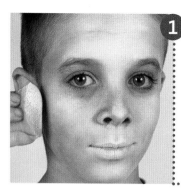

1 → Modifiez le teint du modèle en appliquant un fond blanc peu couvrant à l'éponge sur le visage, sauf sur les paupières et les contours des yeux. Colorez les oreilles. Étirez la couleur jusqu'aux cheveux et estompez-la, au bas du visage, pour qu'elle se confonde avec le teint de la peau.

Creusez les traits du visage. Avec un pinceau **2** de taille moyenne, balayez du fard gris sur les cernes et les côtés du nez et sur les parties à mettre en creux (tempes, globes oculaires, sillons du nez, narines, bout du menton et joues).

3 → Avec un pinceau fin, tracez des petites veines au fluide rouge sur tout le visage, de haut en bas. Commencez par celles du front.

Reprenez le même type de graphisme **4** avec un fluide violet. Tracez des veinules qui chevauchent en partie les précédentes ou qui viennent en alternance. Dessinez quelques petites lignes courtes aux commissures des lèvres pour en accentuer le creux.

ASTUCE

Pour creuser rapidement les diverses parties du visage, utilisez une demi-teinte, le gris. Pour l'appliquer tout en l'estompant, mettez peu de couleur sur le pinceau.

5 → Avec un pinceau fin et du fluide noir, amplifiez le dessin en creux aux coins des lèvres et ajoutez quelques lignes. Dans le même esprit, appliquez, avec un pinceau de taille moyenne, des touches de blanc entre les sillons.

Les couleurs utilisées

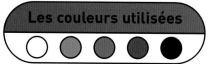

Le zombie

Pour un maquillage bien dans l'esprit de ce personnage de légende, décalé et négligé, n'hésitez pas à vous jouer de la symétrie.

DIFFICULTÉ 🖐 🖐 🖐

Pour réaliser plus facilement le dessin des veinules, tenez le pinceau avec souplesse de manière à le faire glisser sur la peau, tout en faisant de petites ondulations avec la main.

Le monstre

La palette de couleurs généralement utilisée pour représenter un monstre se compose de vert et de brun. Le vert kaki, employé ici, mélange ces deux tons.

DIFFICULTÉ 🖐 🖐 🖐 🖐

Le regard menaçant fait toute la force de cette métamorphose. Il est produit par le dessin du pourtour des yeux et par celui des paupières, ce qui donne à celles-ci un effet proéminent.

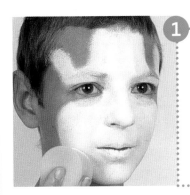

1 → Avec une éponge appliquez du blanc sur le milieu du front, les paupières supérieures et les sourcils en remontant la couleur jusqu'aux tempes. Tracez un rond blanc qui part de l'arête du nez et va jusqu'au menton en englobant le haut des joues.

Avec un pinceau large, colorez en vert kaki les parties restées vierges, sauf les paupières mobiles. N'oubliez pas les oreilles. Appliquez du fard sur les bords inférieurs des yeux, jusqu'à leurs coins internes. Tracez, au centre du front, le dessin qui part de la racine des cheveux. ← **2**

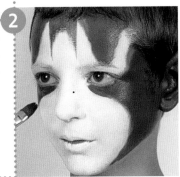

3 → Avec un pinceau large, indiquez en noir le point entre les sourcils. Colorez les paupières mobiles et poursuivez le tracé de chaque côté des yeux, sur le front et les tempes. Des bords inférieurs des yeux, tracez une ligne jusqu'au bas des joues. Réalisez la ligne centrale à partir de l'arête du nez jusqu'au bas du visage. Faites le dessin des narines. Appliquez du noir sur la lèvre inférieure et prolongez le trait aux commissures des lèvres. Tracez, perpendiculairement à la bouche, les traits qui figurent les dents.

ASTUCE

Afin d'obtenir des dégradés de couleur identiques de chaque côté du visage, faites tourner le pinceau d'un demi-tour lorsque vous passez d'un côté à l'autre.

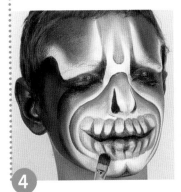

4

↓ Avec un pinceau propre, estompez la limite entre le vert et le blanc sur le front et les joues, puis estompez en partie les tracés noirs des joues vers l'intérieur du visage. Estompez la ligne centrale et prolongez la couleur sur l'arête du nez. Marquez la bouche du monstre, du bout du pinceau, en reliant les pointes entre elles. Avec un autre pinceau, estompez le tracé noir sur les paupières ainsi que le dessin des lignes des lèvres, le point sur le front et la pointe du menton.

Les couleurs utilisées

Le clown d'Halloween

La coiffure, atout important qui sert et valorise le maquillage, a été réalisée avec les doigts et une couleur crème verte.

1 → Recouvrez tout le visage et les oreilles d'un fond blanc couvrant et homogène. Appliquez le fard blanc à l'éponge en tapotant celle-ci sur la peau ; procédez du haut du visage vers le bas.

Les couleurs utilisées

⚪ ⚫ ⬤ ⬤

Avec un pinceau fin, indiquez au fluide noir ← 2 les traits du personnage selon l'ordre suivant : les sourcils, le nez, les ridules aux coins des yeux, les lignes marquant le creux des joues, enfin la bouche et le menton. Estompez en partie les tracés et colorez la lèvre inférieure avec la couleur restant sur le pinceau.

ASTUCE

Le tracé des lignes d'expression admet peu de reprise, au risque de devoir retoucher le fond blanc. Pour un résultat plus sûr, vous pouvez les esquisser au préalable sur le visage blanc, avec un pinceau propre et sec.

3 → Avec un pinceau large peu chargé de fard violet, colorez les tempes, le creux des joues et le bord interne des crocs sur la lèvre supérieure. Posez la couleur en la balayant doucement sur le fond blanc avec le bout du pinceau.

4

↓ Dessinez une pastille rouge sur le bout du nez en deux coups de pinceau (deux demi-cercles). Bordez de fard rouge le contour des pommettes, le côté interne des lignes des fossettes et le dessin du menton. Colorez le bord de la lèvre inférieure avec la couleur restée sur le pinceau. Estompez en partie les tracés.

1 → Ajoutez une pointe de mauve à du fard blanc pour réaliser un blanc cassé. Avec une éponge, appliquez cette teinte sur le visage, sauf aux coins internes des yeux et sur les paupières supérieures. Tapotez la couleur sur la peau de façon à obtenir un teint homogène. Soignez la finition du pourtour du visage.

Avec un pinceau large, tracez en noir **2** ← deux lignes verticales en haut du nez, puis faites partir les sourcils de ces traits. Dessinez ensuite les lignes marquant le creux des joues, à partir des cheveux, à la hauteur des yeux. Pour réaliser des pointes effilées, faites pivoter le pinceau sur son arête, tout en traçant.

3 → Avec un pinceau large, appliquez du fard vert foncé sur les paupières supérieures. À l'aide d'un pinceau propre et sec, estompez la couleur d'abord aux coins internes des yeux et légèrement le long du nez, puis sur les bords externes des paupières. Avec le pinceau teinté de vert, estompez le vert sur la base noire des sourcils.

ASTUCE

L'utilisation d'un pinceau propre et sec pour réaliser l'estompe permet de bien limiter celle-ci à la zone considérée.

4
↓ Avec un pinceau large, tracez, à partir des tempes, deux arcs de cercle mauve qui s'achèvent en pointe sous les yeux. Estompez sur les pommettes les côtés externes de ces traits. Colorez les lèvres en mauve. Puis, avec un pinceau teinté de mauve, estompez vers le bas le côté externe des lignes noires des joues.

Les couleurs utilisées

La reine des ténèbres

Estompez avec soin le fard vert sur les paupières. Veillez à ne pas aller au-delà de la zone qui lui est réservée. Si c'est le cas, appliquez à nouveau du blanc et reprenez l'estompe.

1 → Avec une éponge, colorez en blanc le visage, sauf le haut du front, les bords externes du visage, les paupières mobiles et les lèvres. Tapotez l'éponge sur la peau jusqu'à l'obtention d'une couleur homogène.

Appliquez du fard orange à l'éponge **2** sur le pourtour du visage. Étirez la couleur jusqu'à la racine des cheveux. Tapotez la partie de l'éponge non imprégnée de couleur sur la peau, à la limite entre le blanc et l'orange. Ainsi, vous obtiendrez un beau dégradé.

3 → Avec un pinceau large, tracez la ligne de contour du masque en noir. Commencez par le motif au milieu du front. Pour donner de l'épaisseur au trait, faites pivoter le pinceau entre les doigts. Pour tracer des traits fins, utilisez l'arête. Colorez les paupières mobiles en reliant leur tracé au contour noir.

Avec un pinceau propre et sec, **4** estompez les bords internes des tracés. Balayez la couleur d'un petit mouvement régulier et léger le long du trait. N'oubliez pas l'estompe aux coins externes des yeux, sur les paupières et sous les yeux.

ASTUCE

Notez le dégradé du contour, du noir intense au blanc pur en passant par le gris. Regardez bien la photo de profil : elle montre la limite de l'estompe.

5 → Avec un pinceau fin, tracez au fluide noir les lignes fines sur les bords inférieurs des yeux. Reprenez le trait aux coins internes des yeux pour marquer la petite ligne verticale. Colorez la bouche en rouge vermillon en soignant bien le dessin du contour des lèvres.

Les couleurs utilisées

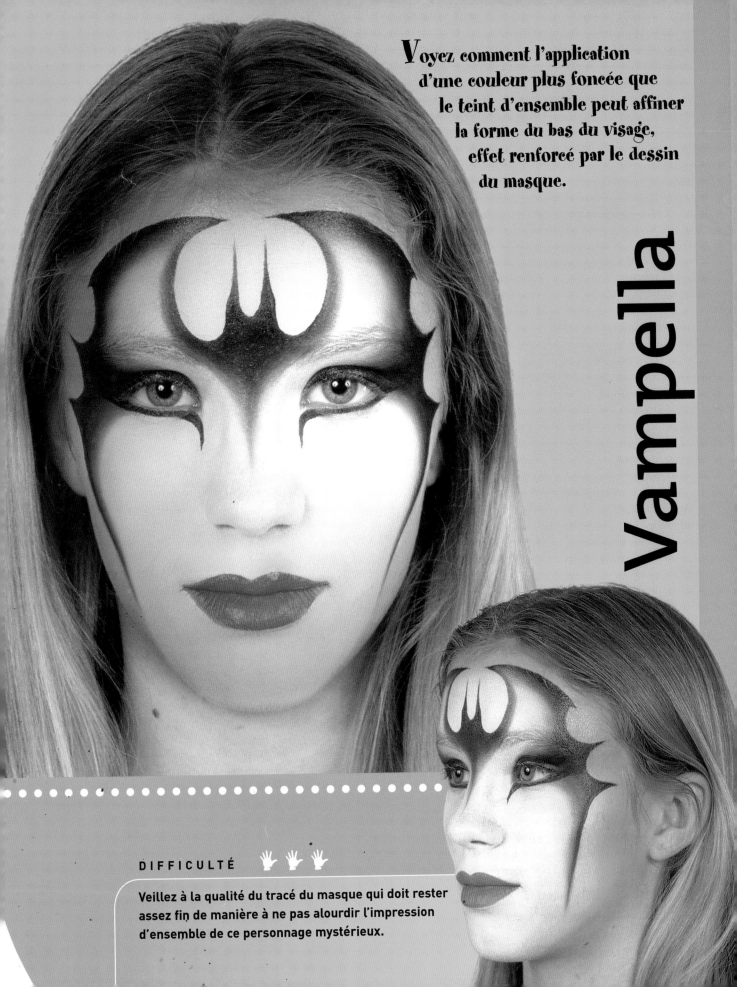

Voyez comment l'application d'une couleur plus foncée que le teint d'ensemble peut affiner la forme du bas du visage, effet renforcé par le dessin du masque.

Vampella

DIFFICULTÉ 🖐 🖐 🖐

Veillez à la qualité du tracé du masque qui doit rester assez fin de manière à ne pas alourdir l'impression d'ensemble de ce personnage mystérieux.

Ce personnage est impressionnant par la force de son regard, mis en valeur par le dessin et par le choix de couleurs bien contrastées.

Le sorcier

Elle réside dans le tracé parallèle des traits qui forment le dessin autour des yeux. Notez que celui-ci est déjà amorcé lors de l'application de la première couleur.

1 → Avec une éponge, appliquez du fard blanc sur le visage. Recouvrez l'arête du nez et prolongez la couleur sur le front en dessinant un « V ». Faites des aplats au-dessus des yeux, sauf sur les paupières mobiles. Puis appliquez du fard à partir de la lèvre supérieure et allez jusqu'aux tempes.

Appliquez du fard argent à l'éponge sur ← **2**
le front et le bas du visage, sans oublier
les oreilles. Avec un pinceau propre et sec
de taille moyenne, estompez la limite entre
le blanc et l'argent par un balayage léger.

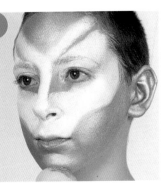

Les couleurs utilisées

ASTUCE

Si vous ne vous sentez pas sûr au pinceau, vous pouvez également réaliser les points sur le front en appliquant la couleur avec le bout de l'index.

3 → Avec un pinceau large, dessinez en noir les points sur le front. Tracez des lignes noires de chaque côté de l'arête du nez. Poursuivez-les en oblique sur le front depuis la racine des sourcils. Colorez les paupières mobiles en noir. Étirez la couleur sur les tempes de manière à avoir des tracés parallèles à ceux du front. Dessinez le haut de la lèvre supérieure en pointe. Marquez les creux des joues.

4

↓ Afin de parfaire le modelage du visage, estompez, avec un pinceau propre et sec, les tracés noirs sur les paupières et sous les yeux. Puis estompez les lignes des creux des joues avec un autre pinceau. Enfin, colorez les lèvres avec la matière qui se trouve sur le pinceau et estompez.

Frankenstein

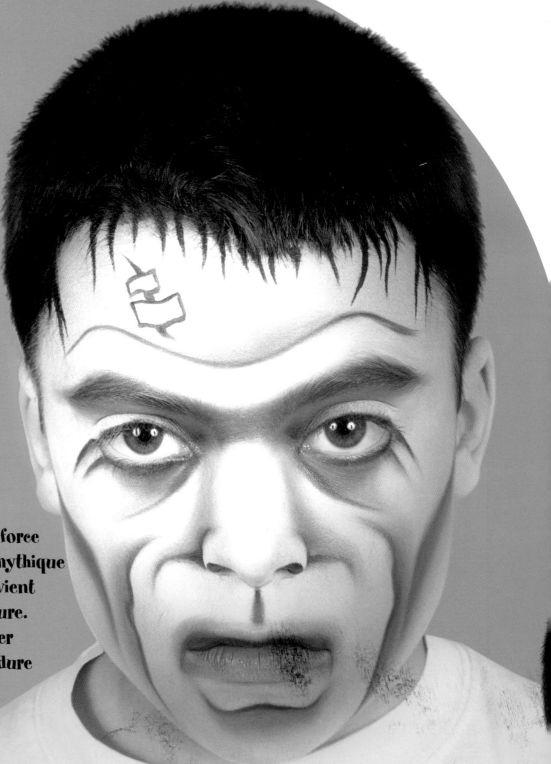

Pour souligner la force de ce personnage mythique de monstre, il convient de modeler la coiffure. Vous pouvez colorer les cheveux en bordure du front avec du fard noir.

DIFFICULTÉ

Ce maquillage comporte de nombreux traits d'expression qui ont une place bien définie. Réalisez les estompes en finesse afin de bien respecter la surface des modelés.

Avec une éponge, appliquez du fard blanc 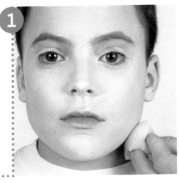 ❶
sur le visage, sauf sur les sourcils, le haut
des paupières et les lèvres. Réalisez un fond
de couleur bien homogène. Colorez également
les oreilles.

Les couleurs utilisées

 ❷ → Avec un pinceau fin, dessinez au fluide noir
les mèches des cheveux du personnage sur le haut
du front ainsi que sa cicatrice. Avec un pinceau
de taille moyenne, indiquez en noir les traits
d'expression. Commencez par dessiner la ligne
horizontale au niveau des sourcils, puis estompez
la couleur sur les paupières et à la racine du nez.
Progressez du centre du visage vers l'extérieur.

ASTUCE

Pour le dessin des traits
d'expression, progressez
du haut du visage vers
le bas. Quand vous tracez
une ligne, refaites-la
aussitôt de l'autre côté
du visage. Vous obtiendrez
ainsi un meilleur graphisme.

Poursuivez le modelage des traits ← ❸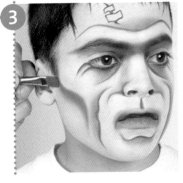
en introduisant une couleur verdâtre
sur la ride du front, les cernes,
les côtés du nez, la lèvre inférieure
et le menton, enfin le long des lignes
des fossettes et des creux des joues.
Tout en appliquant la couleur
au pinceau, estompez-la en partie
sur le fond blanc.

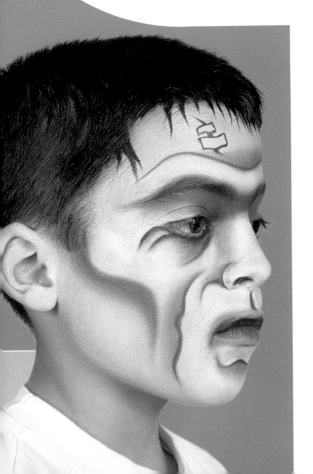

1 → Pour créer un teint couvrant et homogène, appliquez du fard blanc sur l'éponge et tapotez-la doucement sur le visage d'un geste régulier. Épargnez les lèvres, les paupières mobiles et les bords inférieurs des yeux. Estompez la couleur sur le contour du visage.

Le scintillement de quelques paillettes argentées viendra rehausser le regard envoûtant de cette belle de nuit.

Avec un pinceau de taille moyenne, colorez les paupières mobiles en noir. Laissez sécher quelques instants, puis soulignez de noir les bords inférieurs des yeux, en les cernant de près. Colorez les lèvres en noir. Soignez bien leur dessin. ← **2**

3 → Afin de créer un halo sombre autour des yeux, estompez les contours des tracés noirs avec un pinceau propre et sec. Dégradez la couleur progressivement jusqu'aux sourcils, et plus finement sous les yeux. Reprenez le dessin des sourcils en gris foncé.

ASTUCE

Afin de faciliter la création du halo autour des yeux, la couleur de fond est déjà estompée sur cette zone. Lorsque vous abordez le dessous des yeux, demandez à votre modèle de regarder en l'air.

4
↓ Avec un pinceau fin, tracez les fils de la toile au fluide noir. Commencez par le fil qui prend appui au départ du sourcil, puis tracez celui qui est dans son prolongement, au coin inférieur de l'œil. Tracez les autres fils en gardant un même écart entre leur point de départ. Placez les fils arrondis de la toile de manière à finir par ceux situés sur le haut du front.

Les couleurs utilisées

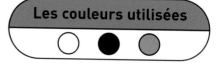

Arachnida

Le dessin des fils de la toile supporte mal les retouches :
vous risqueriez de devoir refaire la couleur de fond. Aussi,
faites quelques esquisses préalables sur votre avant-bras.

Gothique

Ce personnage fantomatique au regard inquiétant enrichit la palette d'Halloween d'une note raffinée par son aspect délicat, voire sophistiqué.

DIFFICULTÉ 🖐 🖐

Pour tracer les traits fins d'un seul coup de pinceau, veillez à charger celui-ci de la juste quantité de fluide puis placez-vous face au modèle et posez un doigt en appui sur sa peau pour affirmer votre geste.

1 ↓ Avec une éponge, colorez les oreilles et le visage en blanc, sauf le contour des yeux et la lèvre inférieure. Tapotez régulièrement l'éponge sur la peau de façon à obtenir un teint homogène. Si nécessaire, insistez sur les sourcils pour bien les camoufler.

ASTUCE

Lorsque vous tracez les lignes verticales, le modèle doit regarder devant lui, et lorsque vous dessinez sous les yeux, il doit regarder vers le haut.

2 ↓ Avec un pinceau large, marquez le contour des yeux en noir. À l'aide d'un pinceau sec, estompez la partie extérieure de ce tracé, en effectuant des petits mouvements circulaires autour des yeux. Si vous étalez trop le noir, appliquez à nouveau du blanc et reprenez l'estompe.

3 → Avec un pinceau fin, dessinez au fluide noir les lignes verticales à l'aplomb des pupilles. Posez le pinceau sur la paupière et tirez le trait jusqu'au milieu du front, puis posez le pinceau sous le bord inférieur de l'œil et tirez un trait sur la joue. Pour le dessin de la bouche, marquez le bord de la lèvre inférieure en arc de cercle, puis reprenez le tracé montant des coins de la lèvre vers les joues.

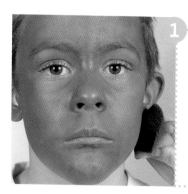

1 Avec une éponge, appliquez un fard vert soutenu sur tout le visage, sauf sur la lèvre inférieure. Colorez également les oreilles. Étirez la couleur jusqu'à la racine des cheveux. Réalisez un fond de couleur uniforme, en mettant peu de matière.

Avec un pinceau large, tracez en noir les lignes de structure du masque. Commencez par le dessin des paupières, puis tracez la ligne des arcades sourcilières avec l'arête du pinceau. Faites ensuite le contour des plaques sur le front et les tempes. Dessinez le museau, au départ des coins des lèvres, puis la ligne des narines. Terminez par le contour de la gueule du dinosaure. **2**

Avec un pinceau large, **3** appliquez du fard jaune vif sur les parties saillantes du masque (arcades sourcilières et pourtour du museau, front, contours des yeux, joues). Utilisez alternativement le plat et l'arête du pinceau.

4 Avec un pinceau propre et sec, estompez partiellement le jaune sur le fond vert. Modulez l'estompe sur le front et sur le museau de façon à créer une couleur dégradée, du jaune vif au vert sombre. Avec un autre pinceau, estompez le côté externe des tracés noirs, à l'exception des lignes de contour de la gueule.

ASTUCE

Dessinez les dents à partir de l'axe central du visage, en alternance d'un côté et de l'autre de façon à obtenir une bonne symétrie.

Avec une éponge humide, enlevez **5** la couleur verte à l'emplacement des dents. Tracez les dents avec un pinceau de taille moyenne et du fard blanc. Reprenez leur contour avec un pinceau fin et du fluide noir. Colorez la partie restante de la gueule en noir avec un pinceau large.

Les couleurs utilisées

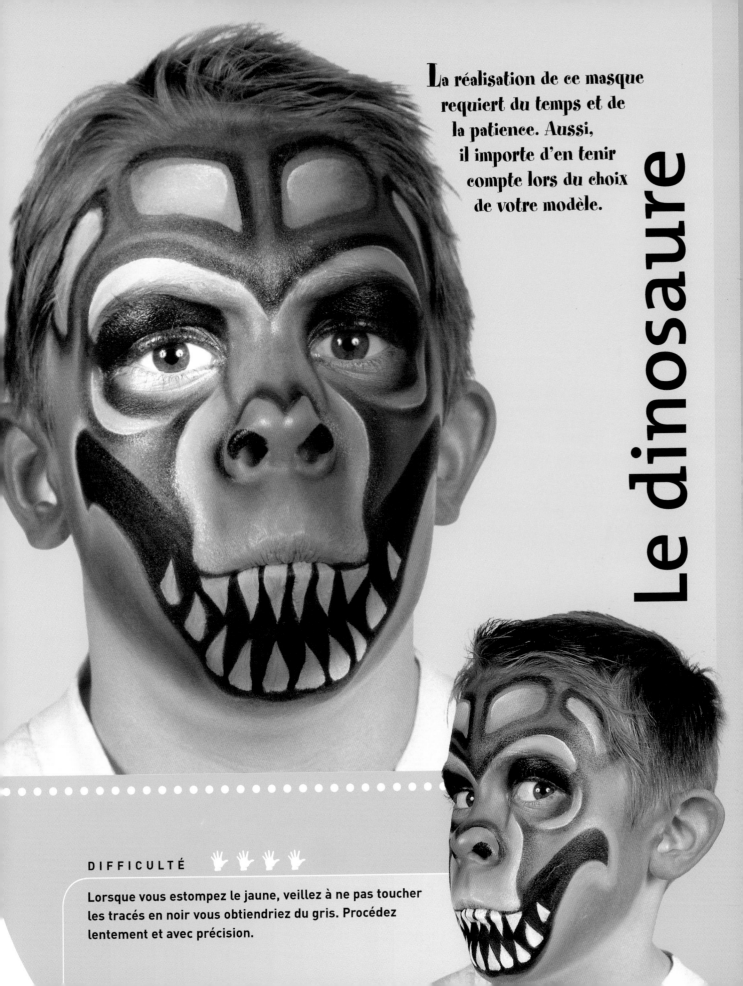

La réalisation de ce masque requiert du temps et de la patience. Aussi, il importe d'en tenir compte lors du choix de votre modèle.

Le dinosaure

DIFFICULTÉ 🖐🖐🖐🖐

Lorsque vous estompez le jaune, veillez à ne pas toucher les tracés en noir vous obtiendriez du gris. Procédez lentement et avec précision.

Le dragon

Le dessin rouge représenté sur le front du modèle symbolise les flammes qui jaillissent de la gueule de cet animal fabuleux.

DIFFICULTÉ 🖐 🖐 🖐

Pour avoir un geste assuré, lorsque vous tracez les dents au pinceau, posez le petit doigt sur la peau. Si vous devez corriger le dessin des dents, utilisez des Cotons-Tiges, préalablement humectés.

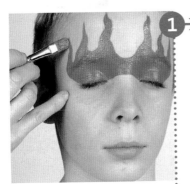

1 → Avec un pinceau large, peignez en rouge les flammes au-dessus des yeux. Commencez par leur base, au niveau des sourcils, et allez vers la pointe. L'axe horizontal des yeux constitue la limite inférieure de cette partie du masque.

2 → Avec un pinceau large, délimitez en vert le contour des narines et de la mâchoire. Tracez le contour du masque à partir des bords inférieurs des yeux, puis colorez l'ensemble de cette zone.

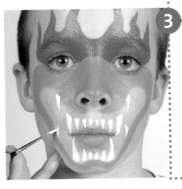

3 → Placez les dents du dragon autour de la bouche. Dessinez-les au pinceau fin avec du fluide blanc en partant des racines. Tracez-les alternativement de chaque côté du visage.

Avec un pinceau, colorez les lèvres en rouge, puis l'intérieur de la gueule en noir. Cet exercice minutieux permet de redéfinir le contour des dents. Il peut être fait avec l'arête du pinceau ou bien avec un pinceau fin et du fluide noir. ← **4**

ASTUCE

Afin de réaliser le graphisme des flammes sans hésitation, il peut être utile de vous exercer sur vos avant-bras au préalable.

5 → Avec un pinceau fin et du fluide noir, réalisez les deux traits fins marquant le contour des narines, puis le contour de la partie verte du masque. Partez des coins des yeux et poursuivez le tracé jusqu'au menton.

Les couleurs utilisées

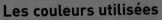

N° de projet : 11011724 - 720143/07
Imprimé en Roumanie en mai 2010 par Canale-Roumanie